Roald Dahl

Oom Oswald

ROMAN

VERTAALD DOOR JOHANNES VAN DAM

MEULENHOFF AMSTERDAM

Eerste druk april 1980; tiende druk november 1982
Oorspronkelijke titel *My Uncle Oswald*
Copyright © 1979 by Roald Dahl
Copyright Nederlandse vertaling © 1980 by Johannes van Dam
and Meulenhoff Nederland bv, Amsterdam
Grafische vormgeving Joost van de Woestijne
Druk Tulp, Zwolle
ISBN 90 290 1614 0

Ik hou best van een stoeipartijtje

Oswalds Dagboeken,
deel XIV

1

OPNIEUW begint mij de behoefte te bekruipen een eresaluut te brengen aan oom Oswald. Ik bedoel natuurlijk Oswald Hendryks Cornelius zaliger, de kunstkenner, de bon-vivant, verzamelaar van spinnen, schorpioenen en wandelstokken, operaminnaar, expert op het gebied van Chinees porselein, vrouwenverleider en zonder enige twijfel de grootste neuker aller tijden. Iedere andere gevierde kandidaat voor die titel slaat een vernederend modderfiguur wanneer zijn staat van dienst wordt vergeleken met die van oom Oswald. Vooral die stakker van een Casanova. Die komt uit die wedstrijd als een man die last had van een zeer gebrekkig functionerend geslachtsorgaan.

Er waren vijftien jaar verlopen sinds ik, in 1964, een eerste kleine passage uit Oswalds Dagboeken voor publikatie vrijgaf. Ik zorgde er toen voor dat niemand aan mijn selectie aanstoot kon nemen en het fragment in kwestie ging, zoals u zich ongetwijfeld herinnert, over een onschuldige en nogal frivole beschrijving van een coïtus van mijn oom met een zekere vrouwelijke melaatse in de Sinaï-woestijn.

Tot zover waren er geen problemen. Maar ik wachtte nog eens zo'n tien jaar voor ik het risico nam een tweede passage vrij te geven. En weer was ik zo voorzichtig iets uit te zoeken dat, tenminste volgens Oswalds maatstaven, zoveel mogelijk geschikt was als leesstof voor de hulppastoor op de zondagsschool van een dorpskerk. Dat verhaal ging over een parfum dat zo krachtig was dat iedere man die dat bij een vrouw rook, niet meer in staat was zichzelf ervan te weerhouden haar ter plekke te verkrachten.

Er volgde op de publikatie van dit kleine niemendalletje geen aanklacht of vervolging. Maar op een ander gebied was er een overvloed van reacties. Mijn brievenbus werd plotseling overstelpt door honderden brieven van lezeressen die om het hardst riepen om een druppel van Oswalds magische parfum. Ook talloze mannen schreven met hetzelfde verzoek, onder andere een bijzonder onaangename Afrikaanse dictator, een Britse Labour minister en een kardinaal van de Heilige Stoel. Een Saoedie-arabische prins bood een enorm bedrag in Zwitserse valuta en een man van de CIA bracht me op een middag een bezoekje met een diplomatenkoffertje vol biljetten van honderd dollar. Hij vertelde me dat Oswalds parfum gebruikt kon worden om vrijwel iedere Russische staatsman en diplomaat ter wereld te compromitteren en dat zijn organisatie de formule wilde kopen.

Helaas bezat ik geen druppeltje van die magische vloeistof zodat daarmee de kous af was.

Vandaag, vijf jaar na de publikatie van dat parfum-verhaal, heb ik besloten het publiek weer een kijkje te gunnen in het leven van mijn oom. De passage die ik heb uitgekozen komt uit deel xx, geschreven in 1938, toen Oswald drieënveertig jaar was en in de bloei van zijn leven. Er worden veel beroemde namen in genoemd en het is duidelijk dat er een groot risico is dat sommige nabestaanden en vrienden aanstoot zullen nemen aan enkele van de dingen die Oswald te vertellen heeft. Ik kan niets anders doen dan de betreffende personen om begrip vragen en ze verzekeren dat mijn motieven zuiver zijn. Want dit is een document van uitzonderlijk wetenschappelijk en historisch belang. Het zou een tragedie zijn als het nooit het daglicht zag.

Hier volgt dan de passage uit deel xx van de Dagboeken van Oswald Hendryks Cornelius, woord voor woord zoals hij het geschreven heeft.

Londen, juli 1938

Ben net terug van een bevredigend bezoek aan de Lagonda-werkplaatsen in Staines. W. O. Bentley trakteerde me op een lunch (zalm uit de Usk en een fles Montrachet) en we hebben over de extra's voor mijn nieuwe v-12 gesproken. Hij heeft me een set claxons beloofd die Mozarts *Son gia mille e Tre* op de juiste toonhoogte ten gehore brengt. Misschien zijn er mensen die zoiets een nogal kinderachtige gril vinden, maar het gaat dienen als een plezierige aanleiding om me er, iedere keer dat ik op de claxon druk, aan te herinneren dat die goeie ouwe Don Giovanni op dat moment duizenddrie knappe Spaanse deernes had ontmaagd. Ik zei Bentley dat de stoelen met fijn generfd kaaimanleer bekleed moeten worden en de panelen met fineer van taxushout. Waarom taxus? Gewoon omdat ik de kleur van Engelse taxus prefereer boven die van elke andere houtsoort.

Maar wat een geweldige kerel is die W.O. Bentley. En wat was het een triomf voor Lagonda toen hij naar hen overliep. Ergens is het treurig dat deze man, die een van de beste auto's ter wereld heeft ontworpen en daar zijn naam aan heeft gegeven, uit zijn eigen bedrijf en in de armen van een concurrent gedreven werd. Maar het gevolg is dat de nieuwe Lagonda's hun weerga niet hebben en ik bijvoorbeeld zou geen andere machine willen hebben. Toch wordt hij niet bepaald goedkoop. Hij gaat me meer duizendjes kosten dan ik ooit voor een automobiel dacht uit te geven.

Maar wie geeft er om geld? Ik niet, want ik heb daar altijd een overvloed van gehad. Mijn eerste honderdduizend pond verdiende ik toen ik zeventien was, en later zou ik nog veel meer verdienen. Nu ik dit heb opgeschreven realiseer ik me dat ik in deze dagboeken nooit ook maar één keer gewag heb gemaakt van de manier waarop ik een rijk man ben geworden.

Misschien is nu het moment aangebroken om dat te doen. Ik geloof van wel. Want hoewel deze dagboeken bedoeld zijn als de geschiedenis van de kunst van het verleiden en de genoegens van het copuleren, zouden ze onvolledig zijn zonder enige verwijzing naar de kunst van het geldverdienen en de bijbehorende genoegens.

Vooruit dan maar. Ik heb het mezelf al aangepraat. Ik zal u meteen maar vertellen hoe ik het geldverdienen heb aangepakt. Voor het geval dat sommigen van u nu in de verleiding komen dit speciale deel over te slaan om sappiger passages op te zoeken kan ik u verzekeren dat er meer dan voldoende sap van de volgende bladzijden zal afdruipen. Ik zou het niet anders willen hebben.

Grote rijkdom kan, wanneer het geen erfenis is, op vier manieren verkregen worden – door arglist, door talent, door een geïnspireerd oordeel of door geluk. Bij mij was het een combinatie van alle vier. Lees aandachtig en u zult zien wat ik bedoel.

In het jaar 1912, toen ik nog maar net zeventien was, won ik een studiebeurs van het Trinity College in Cambridge. Ik was een vroegrijpe knaap en had mijn examen een jaar eerder gedaan dan gebruikelijk was. Dat betekende dat ik twaalf maanden moest wachten zonder iets omhanden te hebben omdat Cambridge me niet voor mijn achttiende wilde toelaten. Daarom had mijn vader besloten dat ik die tijd moest doorbrengen met naar Frankrijk te gaan om de taal te leren. Ik hoopte zelf dat ik in dat prachtige land nog heel wat meer zou leren dan de taal. U moet weten dat ik de smaak te pakken had gekregen van versieren en rokkenjagen bij de Londense debutantjes. Maar die jonge Engelse meisjes begonnen me ook al een beetje te vervelen. Ik had geconstateerd dat het een tamelijk slap stelletje was en ik kon niet wachten om de bloemetjes eens met karrevrachten in de buitenlandse dreven buiten te zetten. Vooral in Frankrijk. Ik had uit betrouwbare bron vernomen dat de Parijse vrouwen een aantal kunstjes kenden waar hun Londense nichtjes zelfs nooit van gedroomd hadden. Copulatie, zo ging het gerucht, stond in Engeland nog in de kinderschoenen.

Op de avond voor ik naar Frankrijk zou vertrekken gaf ik een klein feestje in mijn ouderlijk huis aan Cheyne Walk. Mijn ouders waren opzettelijk om zeven uur uit eten gegaan zodat ik het rijk alleen had. Ik had een twaalftal vrienden en vriendinnen uitgenodigd, allemaal ongeveer van mijn leeftijd, en om een uur of negen zaten we gezellig bij elkaar en babbelden aangenaam onder het genot van een glas wijn en een hapje uitstekend gestoofde schapebout met noedels. Toen ging de bel. Ik stond op om open te doen en daar stond op de drempel een man van middelbare leeftijd met een grote snor, een vuurrood hoofd en een varkensleren koffer. Hij stelde zich voor als majoor Grout en vroeg naar mijn vader. Ik zei dat die uit eten was.

'Och, hemeltjelief,' zei majoor Grout. 'Hij heeft me gevraagd te komen logeren. Ik ben een oude vriend.'

'Dat is vader zeker vergeten,' zei ik. 'Het spijt me verschrikkelijk. Komt u maar binnen.'

Nu was het niet goed mogelijk de majoor alleen in de studeerkamer achter te laten met de *Punch* terwijl wij in de kamer ernaast een feestje hadden. Daarom vroeg ik of hij er zin in had bij ons te komen zitten en mee te doen. Hij deed graag mee. En dus kwam hij erbij zitten, met snor en al, een stralende joviale ouwe jongen die zich bij ons meteen uitstekend thuis voelde, ondanks het feit dat hij driemaal zo oud was als wie van de andere aanwezigen dan ook. Hij dook in de schapebout en maakte in de eerste vijftien minuten een hele fles bordeaux soldaat. 'Een uitstekende prak,' zei hij. 'Is er nog wijn?'

Ik trok nog een fles voor hem open en we keken allemaal met een zekere bewondering toe terwijl hij ook die tot de bodem leegde. De kleur van zijn wangen verschoot van rood naar diep paars en zijn neus leek wel vlam te vatten. Halverwege de derde fles begon hij wat los te komen. Hij vertelde ons dat hij in de Engels-Egyptische Soedan werkte en met verlof thuis was, zijn werk had iets te maken met de Soedanese Irrigatiedienst en het was heel heet en inspannend werk. Maar fascinerend. Veel lol weet je wel. En van die roetmoppen had je niet zoveel last zolang je die goede oude karwats maar bij de hand hield.

We zaten om hem heen en luisterden met rode oortjes naar dit paars aangelopen wezen uit verre landen.

'Een geweldig land, de Soedan,' zei hij. 'Het is enorm. Het is afgelegen. Het is mysterieus en geheimzinnig. Willen jullie dat ik over een van de grote geheimen van de Soedan vertel?'

'Heel graag, majoor,' zeiden we. 'Ja, alstublieft.'

'Een van haar grote geheimen,' zei hij, terwijl hij nog een glas wijn in zijn keel goot, 'een geheim dat alleen een paar oudgedienden daar, zoals ikzelf, en de inlanders kennen, is een klein schepsel dat de Soedanese cantharidekever heet, of, om hem bij zijn juiste naam te noemen, de *cantharis vesicatoria sudanii.*'

'Bedoelt u een scarabee?' vroeg ik.

'Absoluut niet,' zei hij. 'De Soedanese cantharidekever is een vliegend insekt en is dan ook evenveel vlieg als kever en bijna twee centimeter lang. Hij is mooi om te zien, met een schitterend, iriserend schild van goudglanzend groen.'

'Waarom is hij zo geheim?' vroegen we.

'Deze kleine kevertjes worden alleen in een klein deel van de Soedan gevonden. Het is een gebied van ongeveer vijftig vierkante kilometer ten noorden van Khartoem, waar een boom groeit die ze daar mbishi noemen. De kevers leven van de bladeren van de mbishi. Er zijn mannen die hun hele leven lang jacht maken op die kevers. Keverjagers worden ze genoemd. Het zijn inboorlingen met scherpe ogen die alles weten wat er maar te weten valt over het doen en laten van die kleine rakkers. En als ze ze vangen maken ze ze dood en drogen ze in de zon om ze daarna tot een fijn poeder te vermalen. Dat poeder staat in hoog aanzien bij de inboorlingen, die het meestal bewaren in kleine, fraai bewerkte keverdoosjes. Het stamhoofd laat zijn keverdoosje van zilver maken.'

'Maar dat poeder,' zeiden we, 'wat doen ze daarmee?'

'Het is niet wat *zij* met dat *poeder* doen, het is wat dat *poeder* met *jou* doet. Een klein snufje ervan is het krachtigste afrodisiacum ter wereld.'

'Spaanse vlieg!' riep iemand. 'Het is Spaanse vlieg.'

'Nou, niet helemaal,' zei de majoor, 'maar je bent warm. De gewone Spaanse vlieg kan je in Spanje en Zuid-Italië vinden. Waar ik het over heb is de *Soedanese vlieg* en hoewel die uit dezelfde familie komt, is het heel andere koek. Hij is ongeveer tien keer zo krachtig als de gewone Spaanse vlieg. De reactie die die kleine Soedanese makker veroorzaakt is zo ongemeen fel dat het zelfs bij kleine doses gevaarlijk is.'

'Maar gebruiken ze het wel?'

'Oh God, en of! Iedere roetmop in Khartoem en ten noorden daarvan gebruikt die oude kever. Blanken, voor zover ze er tenminste van gehoord hebben, blijven er liever van af omdat het zo verdomd gevaarlijk is.'

'Hebt *u* het gebruikt?' vroeg iemand.

De majoor keek de vragensteller aan en liet onder zijn enorme snor een glimlachje zien. 'Daar zullen we het zo over hebben, akkoord?' zei hij.

'Maar wat doet het nou eigenlijk met je?' vroeg een van de meisjes.

'Mijn hemel,' zei de majoor, 'wat doet het niet met je. Het stookt een vuurtje onder je geslachtsdelen. Het is zowel een krachtig afrodisiacum als een sterk blaartrekkend middel. Het maakt je niet alleen onbedwingbaar geil maar het verzekert je tegelijkertijd ook van een enorme en langdurige erectie. Zou je me nog een glas wijn willen inschenken, beste jongen?'

12

Ik sprong op om nog meer wijn te halen. Mijn gasten waren plotseling heel stil geworden. De meisjes staarden alle naar de majoor, als in trance en zonder zich te verroeren, terwijl hun ogen fonkelden als sterren. De jongens staarden naar de meisjes om te zien hoe die reageerden op deze onverwachte indiscreties. Ik schonk de majoor nog eens in.

'Je vader heeft altijd een voortreffelijke wijnkelder gehad,' zei hij. 'En ook uitstekende sigaren.' Hij keek me afwachtend aan.

'Mag ik u een sigaar aanbieden, majoor?'

'Dat is heel vriendelijk van je,' zei hij.

Ik ging naar de eetkamer en haalde mijn vaders kistje Montecristo's. De majoor stopte er een in zijn borstzakje en een tweede in zijn mond. 'Ik zal, als jullie daar zin in hebben, een verhaal vertellen,' zei hij, 'over mijzelf en de cantharidekever.'

'Ja, vertellen,' zeiden we. 'Ga alstublieft verder, majoor.'

'Dit verhaal zal jullie bevallen,' zei hij, terwijl hij de sigaar uit zijn mond nam en met zijn duimnagel het puntje er afknipte. 'Wie heeft er een vuurtje voor me?'

Ik stak zijn sigaar voor hem aan. Wolken rook omhulden zijn hoofd en door de rook heen zagen we zijn gezicht vaag, maar donker en zacht als een geweldige overrijpe paarse vrucht.

'Ik zat op een avond,' begon hij, 'op de veranda van mijn bungalow, een flink eind het binnenland in, vijfenzeventig kilometer ten noorden van Khartoem. Het was zo heet als de hel en ik had een zware dag achter de rug. Ik dronk een sterke whiskysoda. Het was mijn eerste die avond en ik leunde achterover in de ligstoel met mijn voeten op de kleine balustrade die om de veranda heenliep. Ik voelde de whisky in mijn maag aankomen en ik kan jullie verzekeren dat er geen fijner gevoel is aan het eind van een lange dag in een moordend klimaat dan wanneer je die eerste whisky je maag in voelt stromen en daarna door je aderen. Na een paar minuten ging ik naar binnen om me nog eens in te schenken en daarna liep ik weer terug naar de veranda. Ik ging weer onderuit in de ligstoel. Mijn overhemd was doorweekt van het zweet, maar ik was te moe om een douche te nemen. Toen verstijfde ik plotseling. Ik wou net mijn glas whisky naar mijn mond brengen toen mijn hand verstijfde, hij bleef gewoon letterlijk midden in de lucht hangen met mijn vingers om het glas geklemd. Ik kon niet bewegen. Ik kon zelfs niet spreken. Ik probeerde mijn bediende om hulp te roepen, maar zelfs dat kon ik niet. Rigor mortis. Verlamming. Mijn hele lichaam was versteend.'

'Was u bang?' vroeg iemand.

'Natuurlijk was ik bang,' zei de majoor. 'Ik was verdomd bang, vooral daar in de woestijn van de Soedan, overal kilometers vandaan. Maar de verlamming duurde niet erg lang. Misschien een minuut, misschien twee. Dat weet ik niet precies. Maar toen ik zo te zeggen weer bijkwam, was het eerste dat ik merkte een brandend gevoel in mijn kruis. "Goeiedag," zei ik. "Wat is er verdomme aan de hand?" Maar het was heel duidelijk wat er aan de hand was. De activiteit in mijn broek werd erg heftig en in een paar seconden was mijn lid zo stijf en recht als de grote mast van een schoener.'

'Wat bedoelt u, uw *lid*?' vroeg een meisje dat Gwendoline heette.

'Dat zal je wel begrijpen als ik verder vertel, meisje,' zei de majoor.

'Doorgaan, majoor,' zeiden we. 'Wat gebeurde er daarna?'

'Toen begon hij te kloppen,' zei hij.

'Wíe begon er te kloppen?' vroeg Gwendoline.

'Mijn lid,' zei de majoor. 'Ik kon iedere klop van mijn hart over de volle lengte voelen. Hij bonste en klopte verschrikkelijk, en hij was zo gespannen als een ballon. Kennen jullie die worstvormige ballonnen die ze op kinderpartijtjes hebben? Daar moest ik steeds aan denken, en met iedere klop van mijn hart had ik het gevoel dat iemand er meer lucht in pompte en dat hij zou knappen.'

De majoor nam nog een slok wijn. Daarna bekeek hij de askegel van zijn sigaar. Wij zaten muisstil te wachten.

'Ik begon natuurlijk na te gaan wat er gebeurd zou kunnen zijn,' ging hij verder. 'Ik keek naar mijn glas whisky. Het stond waar ik het altijd neerzette, op de rand van die kleine witgeschilderde balustrade van de veranda. Toen liet ik mijn ogen naar boven dwalen naar het dak van de bungalow en naar de dakrand, en plotseling, eureka! Ik was er! Ik wist met zekerheid wat er gebeurd moest zijn.'

'Wat?' zeiden we allemaal tegelijk.

'Een grote cantharidekever, die zijn avondwandelingetje over het dak maakte, had zich te dicht bij de rand gewaagd en was eroverheen gevallen.'

'Precies in uw glas whisky!' riepen we.

'Inderdaad,' zei de majoor. 'En ik, die in die hitte een dorst als een paard had, had hem zonder te kijken naar binnen geslokt.'

Het meisje dat Gwendoline heette keek de majoor met grote ogen aan.

'Om helemaal eerlijk te zijn begrijp ik niet waar u zich zo druk over maakte,' zei ze. 'Eén zo'n piepklein kevertje kan toch niemand kwaad doen.'

'Lieve meid,' zei de majoor, 'wanneer de cantharidekever gedroogd en gemalen wordt krijg je een poeder dat cantharidine heet. Dat is de farmaceutische naam. De Soedanese variëteit wordt cantharidine sudanii genoemd. En die cantharidine sudanii is absoluut dodelijk. De maximale veilige dosis voor een mens, als er tenminste zoiets als een veilige dosis bestaat, is een half grein. Dat is *een dertigste* van een gram. Wanneer we aannemen dat ik net een hele volwassen cantharidinekever had ingeslikt, betekende dat dat ik God weet hoeveel keer de maximale dosis had binnengekregen.'

'Jezus,' zeiden wij. 'Jezus Christus.'

'Het kloppen was toen zo vreselijk geworden dat mijn hele lichaam schokte,' zei de majoor.

'Bedoelt u dat u hoofdpijn had?' vroeg Gwendoline.

'Nee,' zei de majoor.

'Wat gebeurde er daarna?' vroegen we hem.

'Mijn lid was nu als een witgloeiende staaf ijzer die in mijn lichaam brandde. Ik sprong op uit mijn stoel, rende naar mijn auto en reed alsof de duvel me op de hielen zat naar het dichtstbijzijnde hospitaal, dat in Khartoem was. Ik was er in op de kop af veertig minuten. Ik deed het in mijn broek van angst.'

'Een ogenblikje, zeg,' zei het Gwendoline-schepsel. 'Ik kan u nog niet helemaal volgen. Waarom was u eigenlijk zo bang?'

Wat een vreselijk kind. Ik had haar nooit mogen uitnodigen. Het pleitte voor de majoor dat hij haar deze keer volledig negeerde.

'Ik rende het hospitaal in,' ging hij verder, 'en vond de Eerste Hulp, waar een Engelse arts net bezig was een steekwond dicht te naaien.

"Kijk dit eens!" schreeuwde ik, terwijl ik hem er uithaalde en ermee naar hem zwaaide.'

'Met *wat* naar hem zwaaide, in hemelsnaam,' zei de vreselijke Gwendoline.

'Hou je mond, Gwendoline,' zei ik.

'Dank je,' zei de majoor. 'De dokter hield op met zijn naaiwerkje en keek naar het voorwerp dat ik hem ontsteld voorhield. Ik vertelde hem snel mijn verhaal. Zijn gezicht betrok. Er bestond geen tegengif voor de cantharidikever, vertelde hij me. Ik verkeerde in ernstige moeilijkheden. Maar hij zou zijn best doen. En zo pompten ze mijn maag leeg, legden me in bed en pakten mijn arme kloppende lid helemaal in ijs in.'

'Wie deden dat?' vroeg iemand. 'Wie zijn ze?'

'Een verpleegster,' antwoordde de majoor. 'Een jonge Schotse verpleegster met donker haar. Ze deed het ijs in kleine rubber zakjes, zette die eromheen en hield ze met een verband op hun plaats.'

'Maar bevroor hij dan niet?'

'Iets dat praktisch roodgloeiend is kan niet bevriezen,' zei de majoor.

'En wat gebeurde er daarna?'

'Ze ververschten het ijs om de drie uur, dag en nacht.'

'Wie, de Schotse verpleegster?'

'Ze deden het bij toerbeurt. Verscheidene verpleegsters.'

'Grote God.'

'Het duurde twee weken voordat het begon af te nemen.'

'Twee weken!' zei ik. 'Was u daarna weer helemaal in orde, majoor? Bent u nu in orde?'

De majoor glimlachte en nam nog een slok wijn. 'Ik ben diep geroerd door je bezorgdheid. Kennelijk ben je een jongeman die weet wat er in deze wereld op de eerste plaats komt, en wat op de tweede. Ik denk dat je het nog ver zal brengen.'

'Dank u, majoor,' zei ik. 'Maar hoe liep het af?'

'Ik was een half jaar op non-actief,' zei de majoor met een flauwe glimlach, 'maar in de Soedan is dat geen probleem. Ja, als het je interesseert, ik ben nu helemaal in orde. Ik ben op wonderbaarlijke wijze genezen.'

Dat was het verhaal dat majoor Grout ons vertelde op mijn kleine feestje aan de vooravond van mijn vertrek naar Frankrijk. En het had me aan het denken gezet. Het zette me tot heel diep denken aan. Het was feitelijk in die nacht, toen ik in bed lag met mijn volledig gepakte koffers op de grond, dat zich in mijn hoofd razendsnel een heel gewaagd plan begon te ontwikkelen. Ik zeg 'gewaagd' omdat het, verdomd nog aan toe, aardig gewaagd was als je in aanmerking neemt dat ik destijds pas zeventien was. Wanneer ik er nu op terugkijk neem ik mijn hoedje voor mezelf af dat ik zelfs maar durfde te denken aan een dergelijke onderneming. Maar de volgende morgen had ik een besluit genomen.

2

Op het perron van Victoria Station nam ik afscheid van mijn ouders en stapte op de boottrein naar Parijs. Diezelfde middag kwam ik aan en meldde ik me bij het huis waar mijn vader een kamer voor me had gehuurd. Het was in de avenue Marceau, en de familie, ze heetten Boisvain, nam betalende gasten. Meneer Boisvain was een klein ambtenaartje en al even oninteressant als zijn nakroost. Zijn wederhelft, een bleke vrouw met korte vingers en een slap lijf, was van hetzelfde baksel als haar man en ik vermoedde dat ze me geen van beiden veel last zouden geven. Ze hadden twee dochters, Jeanette, die vijftien was, en Nicole van negentien. Mademoiselle Nicole viel een beetje uit de toon, want terwijl de rest van de familie uit typische kleine, keurige Fransen bestond, had dit meisje de afmetingen van een amazone. Ik vond haar iets hebben van een vrouwelijke gladiator. Ze moet op haar blote voeten niet minder dan een meter negentig hebben gemeten, maar toch was ze een goedgebouwde jonge gladiator met lange, fraai gewelfde benen en een paar donkere ogen waar een aantal geheimpjes achter leken te schuilen. Het was de eerste keer sinds mijn puberteit dat ik een vrouw was tegengekomen die niet alleen vreselijk lang maar ook aantrekkelijk was, en ik was diep onder de indruk van wat ik zag. Sedertdien heb ik natuurlijk menige rijzige deerne mogen proberen en ik moet zeggen dat ik ze over het algemeen hoger aansla dan hun kleinere zusters. Een vrouw die heel groot is heeft bijvoorbeeld meer kracht in haar ledematen en er is natuurlijk een aanzienlijk grotere hoeveelheid materie om in verstrengeld te raken.

Met andere woorden: ik hou van grote vrouwen. En waarom niet? Daar is niets buitenissigs aan. Maar wat volgens mij wel degelijk buitenissig is, is het ongelooflijke feit dat vrouwen in het algemeen, en daarmee bedoel ik alle vrouwen, waar ook ter aarde, volslagen gek zijn op kleine mannetjes. Laat ik meteen duidelijk maken dat ik met 'kleine mannetjes' geen gewone kleine mannetjes bedoel, zoals jockeys en schoorsteenvegers. Ik bedoel echte dwergen, die kleine krombenige figuurtjes die je in hun kleine spanbroekjes in de circusarena kunt zien rondrennen. Geloof het of niet, maar elk van die kleine makkers kan, als hij daar zijn zinnen op zet, zelfs de meest frigide vrouwen het hoofd op hol brengen. U kunt protesteren wat u wilt, lieve lezeressen, u kunt me vertellen dat ik gek, misleid of verkeerd geïnformeerd ben. Maar voor u dat doet raad ik u aan er eens opuit te gaan en met een vrouw te praten die echt een beurt van een van die kleine mannetjes heeft gehad. Ze zal mijn bevindingen beamen. Ze zal zeggen, ja ja ja, het is waar, ik ben bang dat het waar is. Ze zal u zeggen dat ze afstotelijk maar onweerstaanbaar zijn. Een uitzonderlijk lelijke middelbare circusdwerg die niet groter dan een meter zes was, vertelde me eens dat hij op ieder moment en op iedere plaats iedere vrouw kon pakken die hij maar wilde. Ik vind dat uiterst merkwaardig.

Maar laat ik terugkeren naar mademoiselle Nicole, de amazone-dochter. Ze boezemde me meteen belangstelling in en toen we elkaar de hand schudden kneep ik wat harder in haar vingers en keek naar haar gezicht. Ze deed haar lippen van elkaar en ik zag het puntje van haar tong plotseling naar buiten flitsen. Heel goed, jongedame, dacht ik bij mezelf. Jij zal in Parijs de eerste zijn.

Voor het geval dat dat een beetje brutaal klinkt voor een zeventienjarige blaag als ik toen was, is het goed dat u weet dat ik zelfs in die prille jeugd ruimschoots voorzien was van uiterlijke gaven. Wanneer ik de familiefoto's uit die tijd weer eens bekijk, kan ik zien dat ik een bijzonder knappe jongeling was. Dat is gewoon een simpel feit en het zou dwaasheid zijn om te doen of het anders was. Zonder enige twijfel was daardoor in Londen alles voor me van een leien dakje gegaan en ik kon in volle oprechtheid zeggen dat ik nog nooit een blauwtje had gelopen. Maar natuurlijk speelde ik dit spel nog niet zo lang en ik had nog niet meer dan vijftig of zestig vogeltjes op de korrel genomen.

Om het plan, waarvan ik op het spoor was gekomen door die

beste majoor Grout, te kunnen uitvoeren, deelde ik madame Boisvain onmiddellijk mee dat ik de volgende morgen meteen zou vertrekken om bij vrienden buiten de stad te logeren. We stonden nog in de hal en waren net klaar met handenschudden. 'Maar monsieur Oswald, u bent nog maar net aangekomen,' riep het brave mens uit.

'Ik geloof dat mijn vader u zes maanden vooruit heeft betaald,' zei ik. 'Als ik hier niet ben spaart u het geld voor het eten uit.'

Zulke rekenarij vertedert het hart van iedere hospita in Frankrijk en madame Boisvain stribbelde dan ook niet meer tegen. Om zeven uur 's avonds schoven we aan voor het avondeten. Het was gestoofde pens met uien. Voor mij is dat het op een na walgelijkste gerecht ter aarde. Het walgelijkste gerecht is iets dat met smaak gegeten wordt door de knechten op de schapenfarms in Australië.

Deze knechten – ik kan u net zo goed meteen het hele verhaal vertellen zodat u ze uit de weg kunt blijven als u ooit die kant uitgaat – deze knechten of schapencowboys castreren hun mannelijke lammetjes altijd op de volgende barbaarse wijze: met zijn tweeën houden ze het beest op zijn rug bij zijn voor- en achterpoten. Een derde ritst met een mes zijn scrotum open en drukt de testikels eruit. Dan buigt hij zich voorover en neemt de testikels in zijn mond. Hij zet zijn tanden erin en rukt ze uit het ongelukkige dier en spuwt zijn walgelijke hap in een bak. Het heeft geen zin me te vertellen dat dit soort dingen niet gebeurt, want ze gebeuren wel degelijk. Ik heb het vorig jaar met eigen ogen gezien op een boerderij bij Cowra in Nieuw Zuid-Wales. En deze idioten bestonden het ook nog me te vertellen dat drie handige knechten in een uur zestig lammeren konden castreren en dat ze dat de hele dag konden volhouden. Het enige dat ze er van overhielden was wat pijn in hun kaken, zeiden ze, maar dat was de moeite waard omdat de beloning groot was.

'Wat voor beloning?'

'Ah,' zeiden ze, 'wacht gewoon maar even af!' En die avond moest ik er getuige van zijn hoe ze de buit in een pan met schapenvet boven een houtvuurtje bakten. Dit gastronomische wonder is, kan ik u verzekeren, het weerzinwekkendste, taaiste, walgelijkste gerecht dat je je kunt voorstellen. Gestoofde pens volgt daar onmiddellijk op.

Ik blijf afdwalen. Ik moet doorgaan met mijn verhaal. We zitten nog steeds bij de familie Boisvain thuis aan de gestoofde pens. Monsieur Boisvain raakte door het spul constant in vervoering en maakte harde slobberende geluiden, smakte met zijn lippen en riep bij iedere hap: 'Délicieux! Ravissant! Formidable! Merveilleux!' En daarna, toen hij klaar was – oh, zou er dan nooit een einde komen aan die gruwelen? – haalde hij rustig zijn complete valse gebit uit zijn mond en spoelde het uit in zijn vingerkommetje.

Tegen middernacht, toen monsieur en madame Boisvain diep in slaap lagen, glipte ik door de gang en ging de slaapkamer van mademoiselle Nicole binnen. Ze lag lekker ingestopt in een enorm bed en op de tafel naast haar brandde een kaars. Ze ontving me, vreemd genoeg, met een formele Franse handdruk, maar ik kan u verzekeren dat er niets formeels meer was aan wat er daarna volgde. Het is niet mijn bedoeling bij deze episode langdurig stil te blijven staan. Het heeft niets te maken met het belangrijkste deel van mijn verhaal. Ik zal ermee volstaan te zeggen dat alle geruchten die ik ooit over Parijse meisjes gehoord had in die paar uur die ik met mademoiselle Nicole doorbracht bevestigd werden. Met haar vergeleken waren die ijzige Londense debutantjes planken van versteend hout. Ze besprong me als een civetkat een cobra. Plotseling had ze tien paar handen en een half dozijn monden. Bovendien was ze een slangemens en meer dan eens zag ik, tussen het rondsuizen van lede-maten door, een glimp van haar enkels die achterin haar nek lagen. Ze haalde me door de wringer. Ze rekte me verder uit dan ik kon hebben. Eigenlijk was ik nog niet oud genoeg voor een ingespannen onderzoek als dit en na zo'n uur van onafge-broken activiteit begon ik te hallucineren. Ik herinner me dat ik me verbeeldde dat mijn hele lichaam een lange, goed gesmeerde zuiger was die soepel heen en weer gleed in een cilinder waar-van de wanden van het gladste staal waren. Joost mag weten hoe lang dat doorging, maar aan het einde kwam ik plotseling weer bij mijn positieven door het geluid van een diepe, rustige stem die zei: 'Heel goed, monsieur, dat is genoeg voor de eerste les. Maar ik denk dat het nog wel even zal duren voor u de kleuterklas ontgroeid bent.'

Ik strompelde naar mijn kamer terug, bont en blauw, en viel in slaap.

Volgens plan nam ik de volgende morgen afscheid van de Boisvains en stapte op de trein naar Marseille. Ik had voor zes maanden zakgeld, dat mijn vader me gegeven had toen ik uit Londen wegging, tweehonderd pond in Franse franken. Dat was in 1912 een boel geld.

In Marseille boekte ik passage naar Alexandrië op een Franse stoomboot van negenduizend ton, *l'Impératrice Josephine*, een aardig klein passagiersschip dat regelmatig tussen Marseille, Napels, Palermo en Alexandrië voer.

Onderweg gebeurde er niets, behalve dat ik op de eerste dag buitengaats een grote vrouw tegenkwam. Deze keer was het een Turkse die zo met allerlei juwelen behangen was dat ze rinkelde als ze liep. Mijn eerste gedachte was dat ze het in de top van een kerseboom uitstekend zou doen om de eksters te verjagen. Mijn tweede gedachte, die de eerste op de voet volgde, was dat ze een heel bijzonder gevormd lichaam had. De welvingen in de omgeving van haar borstkas waren zo geweldig dat, als ik er van de andere kant van het dek naar keek, ik me voelde als een reiziger in Tibet die de hoogste pieken van de Himalaya voor de eerste keer aanschouwt. De vrouw keek met opgeheven kin en arrogant terug, terwijl haar ogen langzaam over mijn lichaam dwaalden, van hoofd tot voeten, en daarna weer terug. Even later stak ze rustig naar me over en nodigde me uit in haar hut een glas absint te komen drinken. Ik had mijn hele leven nog nooit van dat spul gehoord, maar ik ging gewillig mee en bleef gewillig en ik kwam die hut niet meer uit tot we drie dagen later in Napels aanlegden. Mademoiselle Nicole had misschien wel gelijk toen ze zei dat ik nog in de kleuterklas zat en mademoiselle Nicole misschien in de zesde, maar als dat al waar was, was die Turkse dame hoogleraar.

Het werd me tijdens deze ontmoeting allemaal nog extra moeilijk gemaakt door het feit dat het schip de hele weg tussen Marseille en Napels met een geweldige storm te kampen had.

Het stampte en rolde op een onheilspellende manier en meer dan eens dacht ik dat we zouden kapseizen. Toen we tenslotte veilig voor anker gingen in de baai van Napels en ik de hut verliet, zei ik: 'Goddank, ik ben blij dat we het gehaald hebben. Wat een storm was dat onderweg.'

'Lieve jongen,' zei ze, terwijl ze een tros juwelen om haar nek hing, 'de zee is de hele weg zo glad als een spiegel geweest.'

'Oh nee, mevrouw,' zei ik. 'Het was een verschrikkelijke storm.'

'Dat was geen storm,' zei ze. 'Dat was ik.'

Ik leerde snel. Ik had vooral geleerd – en dat heb ik later vaak kunnen bevestigen – dat tuimelen met een Turkse lijkt op tachtig kilometer lopen voor je ontbijt. Je moet in conditie zijn.

De rest van de reis had ik nodig om op adem te komen en tegen de tijd dat we, vier dagen later, in Alexandrië aanmeerden voelde ik me weer het haantje. Van Alexandrië nam ik de trein naar Caïro. Daar stapte ik over en reisde verder naar Khartoem.

Mijn God, wat was het heet in de Soedan. Ik was niet op de tropen gekleed maar ik vertikte het geld te verspillen aan kleren die ik maar een dag of twee zou dragen. In Khartoem nam ik een kamer in een groot hotel waar de lobby afgeladen was met Engelsen in korte kaki broeken en tropenhelmen. Ze hadden allemaal snorren en paars aangelopen wangen, net als majoor Grout, en stuk voor stuk hadden ze een glas whisky in hun hand. Bij de ingang hing een Soedanees rond die voor portier speelde. Het was een schitterend uitziende knaap in een witte mantel met een vuurrode fez op zijn kop, en ik stapte op hem af.

'Misschien zou u me kunnen helpen,' zei ik, terwijl ik een paar Franse bankbiljetten uit mijn zak haalde en er achteloos mee ritselde.

Hij keek naar het geld en grijnsde.

'Cantharidekevers,' zei ik. 'Ken je de cantharidekever?'

Eindelijk was het er dan. Dit was *le moment critique*. Ik had de hele weg van Parijs naar Khartoem afgelegd om die ene vraag te stellen en gespannen keek ik naar zijn gezicht. Het was niet denkbeeldig dat het verhaal van majoor Grout alleen maar een onderhoudend praatje voor de vaak was geweest.

De grijns van de Soedanese portier werd nog groter. 'Iedereen kent de cantharidekever, sahib,' zei hij. 'Wat kan ik voor u doen?'

'Ik wil dat je me vertelt waar ik naartoe moet om er een duizendtal te vangen.'

Zijn grijns verdween en hij keek me aan of ik ze niet meer alle vijf bij elkaar had. 'Bedoelt u levende kevers?' riep hij uit. 'U wilt er opuit om duizend *levende* cantharidekevers te vangen?'

'Ja, inderdaad.'

'Waarvoor levende kevers nodig, sahib? Daar hebt u helemaal niets aan, die levende kevers.'

Och Jezus, dacht ik. De majoor heeft me inderdaad in de maling genomen.

De portier kwam dichterbij en legde een bijna koolzwarte hand op mijn arm. 'U wilt wipperwappen, ja? U wilt spul waarvan u moet wipperwappen?'

'Ja, zo ongeveer,' zei ik. 'Zoiets is het wel.'

'Dan hoeft u niet druk te maken over *levende* kevers, sahib. Het enige dat u nodig hebt is gemalen kevers.'

'Ik was van plan die kevers mee naar huis te nemen en ze te fokken,' zei ik. 'Dan zou ik altijd voldoende voorraad hebben.'

'In Engeland?' vroeg hij.

'Engeland of Frankrijk. Daar ergens.'

'Kan niet,' zei hij en schudde zijn hoofd. 'Die kleine cantharidekever kan alleen hier, in de Soedan leven. Hij heeft heel hete zon nodig. In uw land gaan ze allemaal dood. Waarom neemt u het poeder niet?'

Het was duidelijk dat ik mijn plannen enigszins moest veranderen.

'Hoeveel kost het poeder?' vroeg ik hem.

'Hoeveel wilt u?'

'Een heleboel.'

'U moet heel voorzichtig zijn met dat poeder, sahib. Moet niet meer dan een piep-piepklein snufje nemen, anders komen *zeer grote moeilijkheden.*'

'Dat weet ik.'

'Hier, in de Soedan, meten mannen een dosis af door poeder over knop van speld te strooien en wat op knop blijft liggen is precies een dosis. En dat is niet veel. U kunt dus maar beter voorzichtig zijn, jonge sahib.'

'Dat is me allemaal bekend,' zei ik. 'Vertel me alleen maar hoe ik aan een grote hoeveelheid kan komen.'

'Wat bedoelt u met een grote hoeveelheid?'

'Nou, laat ik zeggen, vijf kilo.'

'Vijf kilo!' riep hij uit. 'Dat zou voldoende zijn voor alle Afrikanen bij elkaar!'

'Vijf pond dan.'

'Wat wilt u in hemelsnaam met *vijf pond* cantharidekever-poeder, sahib? Een half ons is al genoeg voor een heel mensen-leven, zelfs voor een grote sterke man als ik.'

'Wat ik ermee ga doen is jouw zorg niet,' zei ik. 'Hoeveel zou dat moeten kosten?'

Hij liet zijn hoofd opzijzakken en dacht diep na over deze vraag. 'We kopen het wel in kleine pakjes,' zei hij. 'Vijf gram per stuk. Heel duur spul.'

'Ik wil vijf pond. In grootverpakking.'

'Logeert u hier in dit hotel?' vroeg hij me.

'Ja.'

'Dan zal ik u morgen het antwoord geven. Ik moet er opuit om wat informaties in te winnen.'

Daar liet hij het voor het moment bij.

De volgende morgen stond de lange zwarte portier weer op zijn eigen plaats bij de ingang van het hotel. 'Weet je wat over het poeder?' vroeg ik hem.

'Is gelukt,' zei hij. 'Ik weet waar u vijf pond zuiver poeder kan krijgen.'

'Hoeveel gaat dat kosten?' vroeg ik hem.

'Hebt u Engels geld?'

'Daar kan ik voor zorgen.'

'Het gaat u duizend Engelse ponden kosten, sahib. Heel goed-koop.'

'Vergeet het dan maar,' zei ik en draaide me om.

'Vijfhonderd,' zei hij.

'Vijftig,' zei ik. 'Ik zal je vijftig pond betalen.'

'Honderd.'

'Nee, vijftig. Dat is alles wat ik kan geven.'

Hij haalde zijn schouders op en draaide zijn handpalmen naar boven. 'U zorgt voor het geld,' zei hij. 'Ik zorg voor het poeder. Vanavond om zes uur.'

'Hoe weet ik dat je me geen zaagsel of zoiets geeft?'

'Sahib!' riep hij uit. 'Ik bedrieg nooit iemand.'

'Daar ben ik niet zo zeker van.'

'In dat geval,' zei hij, 'zullen we het poeder op u testen. Door u een kleine dosis te geven voor u betaalt. Wat dacht u daarvan?'

'Een goed idee,' zei ik. 'Tot zes uur.'

Een van de Londense banken had een filiaal in Khartoem. Ik ging erheen en wisselde mijn Franse franken om in ponden. Om zes uur zocht ik de portier op. Hij was op dat moment in de lobby van het hotel.

'Heb je het?' vroeg ik hem.

Hij wees op een groot pak in bruin pakpapier dat achter een pilaar op de grond stond. 'Wilt u het eerst proberen, sahib? Ga rustig uw gang want dit is absoluut eerste kwaliteit keverpoeder van de Soedan. Met een knop van speld wipperwapt u de hele nacht en de helft van de volgende dag.'

Ik nam aan dat hij me geen proefrit zou hebben aangeboden als het spul niet in orde was en daarom gaf ik hem het geld en nam het pakket mee.

Een uur later zat ik in de trein naar Caïro. Binnen tien dagen was ik in Parijs terug en belde aan bij het huis van madame Boisvain aan de avenue Marceau. Mijn kostbare pakket had ik bij me. De Franse douane gaf geen problemen toen ik in Marseille van boord ging. In die dagen zochten ze naar messen en pistolen, verder niets.

3

Ik kondigde madame Boisvain aan dat ik nu een hele tijd zou blijven maar dat ik haar een verzoek wilde doen. Ik vertelde haar dat ik natuurwetenschappen studeerde. Ze zei dat ze dat wist. Het was mijn wens, ging ik verder, om tijdens mijn verblijf in Frankrijk niet alleen Frans te leren, maar ook om mijn wetenschappelijke studies voort te zetten. Ik zou daarom bepaalde experimenten op mijn kamer uitvoeren waarbij het gebruik van apparatuur en chemicaliën die voor onbevoegden gevaarlijk of vergiftig konden zijn, noodzakelijk was. Om die reden wilde ik de sleutel van mijn kamer hebben en niemand zou die mogen betreden.

'U gaat ons allemaal de lucht in blazen!' riep ze uit, terwijl ze naar haar hoofd greep.

'Maakt u zich niet ongerust, madame,' zei ik. 'Ik neem alleen maar de normale voorzorgen. Mijn professoren hebben me geleerd dat altijd te doen.'

'En wie moet uw kamer dan schoonmaken en uw bed opmaken?'

'Dat doe ik,' zei ik. 'Dat zal u veel tijd en moeite besparen.'

Ze mopperde en knorde een tijdje, maar tenslotte gaf ze toe.

Het avondeten bestond die dag uit varkenspootjes in witte saus, ook al zo'n weerzinwekkend gerecht. Monsieur Boisvain deed zich eraan te goed met alle gebruikelijke slurpgeluiden en geëxalteerde uitroepen, en toen hij uitgegeten was zat de witte saus over zijn hele gezicht uitgesmeerd. Op het moment dat hij zich klaarmaakte om zijn valse gebit uit zijn mond naar het vingerkommetje over te brengen excuseerde ik me en verliet de tafel. Ik ging de trap op naar mijn kamer en deed de deur op slot.

Voor de eerste keer haalde ik het bruine pakpapier van mijn grote pakket af. Het poeder was godzijdank in twee grote koekblikken verpakt. Ik opende er een. Het spul was lichtgrijs en bijna net zo fijn als bloem. Hier voor mij lag, zei ik bij mijzelf, wat waarschijnlijk de grootste schat was die iemand ooit kon vinden. Ik zei 'waarschijnlijk' omdat ik tot dat moment nog geen enkel bewijs had. Ik had alleen het woord van de majoor dat het spul werkte en het woord van de portier dat het het ware produkt was.

Ik ging op bed liggen en tot middernacht las ik een boek. Toen kleedde ik me uit en trok mijn pyjama aan. Ik nam een speld en hield die boven het open blik poeder. Ik strooide een snufje van het poeder over de opgehouden speldeknop. Die bracht ik heel voorzichtig naar mijn mond en likte er het poeder af. Het smaakte nergens naar. Ik keek op mijn horloge hoe laat het was en ging toen op de rand van mijn bed zitten om de gevolgen af te wachten.

Die lieten niet lang op zich wachten. Precies negen minuten later werd mijn hele lichaam stijf. Ik begon naar adem te snakken en te rochelen. Ik verstijfde ter plekke, net zoals majoor Grout verstijfd op zijn veranda gezeten had met zijn glas whisky in zijn hand. Maar omdat ik een veel zwakkere dosis had genomen dan hij, duurde deze periode van verlamming maar een paar seconden. Toen voelde ik, zoals de goede majoor zo treffend gezegd had, een brandend gevoel in mijn kruis. Nog een minuut later was mijn lid – en ook dat had de majoor zoveel sprekender uitgedrukt dan ik dat kan – zo stijf rechtop gaan staan als de grote mast van een schoener.

Nu de laatste proef op de som. Ik stond op en liep naar de deur. Ik deed hem voorzichtig open en sloop door de gang. Ik ging de slaapkamer van mademoiselle Nicole binnen en daar lag ze, zo zeker als amen in de kerk, lekker onder de wol bij een brandende kaars op me te wachten. 'Bonsoir, monsieur,' fluisterde ze, terwijl ze me weer op zo'n formele wijze de hand schudde. 'U bent voor uw tweede les langsgekomen, ja?'

Ik zei niets. Toen ik naast haar in bed kroop begon ik al weg te zakken in een van die vreemde fantasieën die me schijnen op te slokken iedere keer dat ik een vrouw te lijf ga. Deze keer was ik terug in de middeleeuwen en Richard Leeuwenhart was koning van Engeland. Ik was landskampioen van het steekspel, de edele ridder die opnieuw klaarstond zijn vaardigheid en kracht ten toon te spreiden voor de koning en al zijn hovelingen op het toernooiveld van het Gulden Kleed.

Mijn tegenstander was een gigantisch en vreeswekkend vrouwmens uit Frankrijk dat al achtenzeventig dappere Engelsen had afgeslacht in toernooien. Maar mijn ros was dapper en mijn lans was van een geweldige dikte, scherp gepunt, trillend en van het sterkste staal vervaardigd. En de koning riep uit: 'Bravo, sir Oswald, de man met de machtige lans! Niemand dan hij heeft de kracht zo'n geweldig wapen te smeden! Doorboor haar, mijn jongen! Doorboor haar!' En zo galoppeerde ik ten strijde, mijn machtige lans recht en zuiver gericht op het meest vitale deel van de Fransoos, en ik stak haar met forse stoten, stuk voor stuk zeker en snel, en in een handomdraai had ik haar pantser doorboord en schreeuwde ze om genade. Maar ik was niet in de stemming om genadig te zijn. Aangespoord door de kreten van de koning en zijn hovelingen dreef ik mijn stalen lans tienduizend keer in dat kronkelende lichaam en toen nog eens tienduizend keer en ik hoorde de hovelingen schreeuwen: 'Stoot raak, sir Oswald! Stoot raak en blijf stoten!' en toen klonk de stem van de koning: 'Beiloo, mij dunkt dat de brave borst die grote lans van hem nog versplintert als hij niet spoedig ophoudt!' Maar mijn lans versplinterde niet en in een glorieuze finale spieste ik de reusachtige Française op het puntige uiteinde van mijn trouwe wapen en galoppeerde het toernooiveld rond, terwijl ik het lichaam boven mijn hoofd hief onder kreten als: 'Bravo!' en: 'Te duivekater!' en: 'Victor Ludorum!'

Zoals u zich zult kunnen voorstellen nam dit alles enige tijd in beslag. Ik had niet het flauwste idee hoelang, maar toen ik eindelijk weer boven water was gekomen sprong ik het bed uit en bleef daar triomfantelijk staan terwijl ik neerkeek op mijn uitgevloerde slachtoffer. Het meisje steunde als een hijgend hert de jacht ontkomen en ik begon me af te vragen of ik haar niet gewond had. Niet dat ik me daar veel zorgen over maakte.

'Zo, mademoiselle,' zei ik, 'zit ik nog in de kleuterklas?'

'Oh nee!' riep ze, terwijl ze schokte met haar lange ledematen. 'Oh nee, monsieur! Nee, nee, nee! U bent woest en u bent geweldig en ik heb het gevoel dat mijn stoomketel ontploft is!'

Dat gaf me een goed gevoel. Ik vertrok zonder verder iets te zeggen en sloop door de gang terug naar mijn eigen kamer. Wat een triomf! Het poeder was fantastisch! De majoor had gelijk! En de portier in Khartoem had me niet in de steek gelaten! Ik was nu op weg naar de schat en niemand kon me nog tegenhouden. Met deze gelukkige gedachten viel ik in slaap.

De volgende morgen begon ik onmiddellijk orde op zaken te stellen. Zoals u zich zult herinneren was ik student in de natuurwetenschappen. Daardoor was ik behoorlijk onderlegd in natuur- en scheikunde en daarnaast in nog een aantal vakken, maar scheikunde was altijd al mijn beste vak geweest.

Ik wist daarom alles over het maken van eenvoudige pillen. In het jaar 1912, waar we ons nu bevinden, moesten de apothekers hun eigen pillen ter plaatse maken en daarvoor gebruikten ze iets dat een pillenmachine heet. Die ochtend ging ik dus winkelen in Parijs en tenslotte vond ik, in een klein straatje op de Rive Gauche, een handelaar in tweedehands apothekersmaterialen. Ik kocht bij hem een uitstekende kleine pillenmachine die goede, professionele pillen fabriceerde in een hoeveelheid van vierentwintig tegelijk. Ik kocht ook een bijzonder gevoelige apothekersweegschaal.

Daarna vond ik een apotheker die me een grote hoeveelheid calcium-carbonaat en een kleinere hoeveelheid dragantgom verkocht. Ik kocht ook een flesje cochenille. Dat sleepte ik allemaal naar mijn kamer. Ik ruimde de toilettafel leeg en stelde mijn voorraden en apparaten goed op.

Pillen draaien is heel eenvoudig als je eenmaal weet hoe. Het calcium-carbonaat, dat neutraal en ongevaarlijk is, vormt de massa van de pil. Daarna voeg je er de juiste hoeveelheid van het actieve bestanddeel aan toe, in mijn geval cantharidinepoeder. En tenslotte voeg je er als bindmiddel een beetje dragantgom bij. Een bindmiddel is gewoon het cement dat zorgt dat alles aan elkaar plakt en tot een aantrekkelijke pil verhardt. Ik woog van ieder bestanddeel voldoende af om vierentwintig tamelijk grote en indrukwekkende pillen te maken. Ik voegde er een paar druppels cochenille bij; dat is een smaakloze purperen kleurstof. Ik mengde alles goed door elkaar en stopte het mengsel in mijn pillenmachine. In een wip had ik vierentwintig grote rode pillen voor me met een perfecte vorm en hardheid. En als ik alles goed afgewogen en gemengd had, bevatte elk precies de hoeveelheid cantharidinepoeder die bovenop een speldeknop kan liggen. Elke pil was, met andere woorden, een krachtig en explosief afrodisiacum.

Nog was ik niet klaar om ermee aan de slag te gaan.

Ik trok weer de straten van Parijs in en vond een dozenmaker die voor de handel werkte. Ik kocht duizend kleine ronde kartonnen doosjes van hem, elk met een middellijn van ruim twee centimeter. Ik kocht watten.

Daarna ging ik naar een drukker en bestelde duizend kleine ronde etiketjes. Op ieder etiket moest de volgende tekst gedrukt worden:

PROFESSOR
YOUSOUPOFFS
POTENTIEPILLEN
Deze pillen zijn bijzonder
krachtig. Gebruik ze met mate,
vermits u anders uw partner en
uzelf volledig kunt uitputten.
Aanbevolen dosis één per week.
Alleenvertegenwoordiger voor
Europa, O. Cornelius,
192 avenue Marceau,
Paris

De etiketten waren zo ontworpen dat ze precies op de dekseltjes van mijn kartonnen doosjes pasten.

Twee dagen later haalde ik mijn etiketten op. Ik kocht een pot lijm. Ik ging naar mijn kamer terug en plakte op vierentwintig dekseltjes een etiketje. In ieder doosje maakte ik een nestje van watten. Daarin legde ik een enkele pil en deed het deksel erop.

Ik was klaar voor de slag.

Zoals u allang geraden zult hebben stond ik op het punt me in zaken te begeven. Ik ging mijn potentiepillen verkopen aan een cliëntèle die algauw om meer en nog meer zou roepen. Ik zou ze afzonderlijk verkopen, slechts een per doos, en ik zou een exorbitante prijs vragen.

En de cliëntèle? Waar zou die vandaan komen? Hoe zou een zeventienjarige jongen in een stad in een vreemd land het aanleggen om aan klanten voor die wonderpil van hem te komen? Nou, daar maakte ik geen probleem van. Ik hoefde maar één persoon van de juiste soort te vinden en hem een pil laten proberen, en de extatische gelukkige zou onmiddellijk in looppas terugkomen voor een tweede portie. Hij zou ook zijn vrienden het nieuws influisteren en het goede nieuws zou zich als een lopend vuurtje verspreiden.

Ik wist al wie mijn eerste slachtoffer zou worden.

Ik heb nog niet verteld dat mijn vader, William Cornelius, bij de diplomatieke dienst zat. Hij had geen geld van zichzelf, maar hij was een knap diplomaat en slaagde erin heel ruim van zijn inkomen te leven. Zijn laatste post was die van ambassadeur in Denemarken geweest en op het moment maakte hij pas op de plaats bij het Foreign Office in Londen in afwachting van een betere standplaats. De toenmalige Britse ambassadeur was iemand die sir Charles Makepiece heette. Het was een oude vriend van mijn vader en voor ik Engeland verliet had mijn vader een brief aan sir Charles geschreven waarin hij hem vroeg een oogje in het zeil te houden.

Ik wist wat me nu te doen stond en ging het dan ook meteen doen. Ik trok mijn beste pak aan en begaf me op weg naar de Britse ambassade. Ik nam natuurlijk niet de ingang voor de kanselarij. Ik klopte aan bij de ambtswoning van de ambassadeur, die in hetzelfde imposante gebouw was als de kanselarij, maar aan de achterkant. Het was vier uur in de middag. Een lakei met een witte kniebroek en een paarse jas met gouden knopen opende de deur en keek me aan. Ik had geen visitekaartje, maar ik slaagde erin tot hem te laten doordringen dat mijn ouders goede vrienden van sir Charles en lady Makepiece waren en zou hij zo vriendelijk willen zijn Her Ladyship mede te delen dat de heer Oswald Cornelius zijn opwachting was komen maken.

Ik werd naar een vestibule gebracht waar ik ging zitten wachten. Vijf minuten later zeilde lady Makepiece het vertrek binnen in een wolk van zijde en gaas. 'Wel, wel!' riep ze, terwijl ze allebei mijn handen beetpakte. 'Dus *jij* bent Williams zoon! Hij had altijd al een goede smaak, die oude boef! We hebben zijn brief ontvangen en verwachtten je bezoek.'

Het was een indrukwekkend mens. Niet zo jong meer, natuurlijk, maar ook niet helemaal fossiel. Ik gaf haar ongeveer veertig. Ze had een van die verbijsterende leeftijdsloze gezichten die uit marmer gehouwen lijken, en daaronder bevond zich een lijfje dat zich vernauwde tot een taille die ik met mijn beide handen had kunnen omsluiten. Ze nam me met een snelle, doordringende blik op en leek tevreden met wat ze zag, want het volgende dat ze zei was: 'Kom binnen, zoon van William; we zullen samen een kopje thee drinken en wat babbelen.'

Ze leidde me aan mijn hand door een aantal grote en voortreffelijk ingerichte vertrekken tot we bij een klein, gezellig kamertje kwamen dat gemeubileerd was met een sofa en leunstoelen. Aan een muur hing een pastel van Boucher en aan een andere wand een aquarel van Fragonard. 'Dit,' zei ze, 'is mijn eigen privé-studeerkamer. Van hieruit organiseer ik het sociale leven van de ambassade.' Ik glimlachte en knipperde met mijn ogen toen ik op de sofa plaatsnam. Een van die sjiek uitgedoste lakeien bracht thee met sandwiches op een zilveren dienblad binnen. De kleine driehoekige sandwiches waren belegd met Gentlemans Relish. Lady Makepiece ging naast me zitten en schonk thee in. 'Zo, en vertel me nu eens alles over jezelf,' zei ze.

Toen volgden een heleboel vragen en antwoorden over mijn familie en over mij. Het ging alleen maar over koetjes en kalfjes, maar ik wist dat ik, om mijn grootste doel te bereiken, door de zure appel heen moest bijten. En zo babbelden we nog zo'n veertig minuten verder, terwijl Her Ladyship voortdurend met haar beringde hand op mijn dij klopte om haar woorden nadruk te geven. Toen tenslotte haar hand op mijn dij bleef rusten, voelde ik haar vingers enige druk uitoefenen. Ho-ho, dacht ik. Wat is die oude blom nu van plan? Toen sprong ze plotseling op en begon nerveus te ijsberen. Ik bleef naar haar zitten kijken. Heen en weer liep ze, haar handen gekruist voor zich, met schuddend hoofd en zwoegende boezem. Ze leek wel een strak opgewonden veer. Ik begreep er helemaal niets van. 'Ik kan nu maar beter opstappen,' zei ik terwijl ik opstond.

'Nee, nee, ga niet weg!'

Ik ging weer zitten.

'Heb je mijn man ontmoet?' flapte ze er plotseling uit. 'Waarschijnlijk niet. Je bent nog maar net aangekomen. Het is een schat van een man. Een briljant mens. Maar hij wordt een jaartje ouder, het arme schaap, en hij kan niet zoveel lichaamsbeweging meer hebben als vroeger.'

'Dat is jammer,' zei ik. 'Geen polo en tennis meer.'

'Zelfs geen ping-pong,' zei ze.

'Iedereen wordt ouder,' zei ik.

'Daar ben ik ook bang voor. Maar het gaat hierom.' Ze stopte en wachtte.

Ik wachtte ook.

We wachtten allebei. Er was een hele lange stilte.

Ik wist niet wat ik met die stilte aanmoest. Het maakte me onrustig.

'Waar gaat het om, mevrouw?' vroeg ik.

'Snap je dan niet dat ik probeer je iets te vragen?' zei ze tenslotte.

Daar kon ik geen antwoord op verzinnen en daarom pakte ik nog maar een van die kleine sandwiches en at die langzaam op.

'Ik wil je om een gunst vragen, mon petit garçon,' zei ze. 'Ik stel me zo voor dat je een goede sportsman bent.'

'Tamelijk goed,' zei ik, mezelf verzoenend met een spelletje tennis of ping-pong met haar.

'En je hebt geen bezwaren?'

'Niet in het minst. Met het grootste plezier.' Het was nodig dat ik haar zoet hield. Het enige dat ik wilde was de ambassadeur ontmoeten. De ambassadeur was mijn doelwit. Hij was de uitverkorene die de eerste pil zou krijgen en zo het balletje aan het rollen zou brengen. Maar ik kon hem alleen via haar bereiken.

'Ik zal niet veel van je vragen, jongen,' zei ze.

'Ik ben volledig tot uw dienst, madame.'

'Dat meen je echt?'

'Natuurlijk.'

'Zei je niet dat je een goede sportsman was?'

'Ik zat in het rugbyteam van mijn school,' zei ik. 'En ik speel cricket. Ik ben een tamelijk goede kegelaar.'

Ze hield op met ijsberen en keek me langdurig aan.

Op dat moment begon er ergens in mijn hoofd een alarmbelletje te rinkelen. Ik negeerde het. Wat er ook zou gebeuren, ik moest deze vrouw niet tegen me in het harnas jagen.

'Ik vrees dat ik geen rugby speel,' zei ze, 'of cricket.'

'Ik tennis ook heel aardig,' zei ik. 'Maar ik heb mijn racket niet bij me.' Ik nam nog een sandwich. Ik hield van de smaak van ansjovis. 'Mijn vader zegt dat je van ansjovis je smaak kwijtraakt,' zei ik met volle mond. 'Bij hem komt Gentlemans Relish de deur niet in. Maar ik ben er gek op.'

Ze haalde heel diep adem en haar borsten zwollen op als twee gigantische ballonnen. 'Ik zal je vertellen wat ik wil,' fluisterde ze zacht. 'Ik wil dat je me verkracht, dat je me woest en wild verkracht. Ik wil dat je me verkracht tot ik erin blijf! Ik wil dat je het nu doet. Nu! Snel!'

Goeie grutten, dacht ik. Daar gaan we weer.

'Je hoeft niet gechoqueerd te zijn, lieve jongen.'

'Ik ben niet gechoqueerd.'

'O ja, dat ben je wel. Ik kan het aan je gezicht zien. Ik had het je nooit moeten vragen. Je bent zo jong. Je bent veel te jong. Hoe oud ben je? Nee, vertel het me niet. Ik wil het niet weten. Je bent werkelijk verrukkelijk maar schooljongens zijn verboden vruchten. Wat jammer. Je hebt waarschijnlijk de woeste wereld van de vrouwen nog niet betreden. Ik neem aan dat je er zelfs nog nooit een hebt aangeraakt.'

Dat stak. 'U hebt het mis, lady Makepiece,' zei ik. 'Ik heb met vrouwen aan beide zijden van het Kanaal gestoeid. En ook op volle zee.'

'Ach, jij ondeugende jongen! Ik geloof het niet.'

Ik zat nog steeds op de sofa. Zij stond over me heengebogen. Haar grote rode mond hing open en ze was begonnen te hijgen. 'Je begrijpt toch wel dat ik er nooit over begonnen zou zijn als Charles niet een beetje... uitgeteld was, hoop ik?'

'Natuurlijk begrijp ik dat,' zei ik, er wat omheen draaiend. 'Ik begrijp het heel goed. U heeft mijn volledige medeleven. Ik maak u niet het minste verwijt.'

'Meen je dat echt?'

'Natuurlijk.'

'Oh, heerlijke jongen die je bent,' riep ze en ze sprong als een tijgerin op me af.

Over de ravotpartij die volgde valt niet veel opmerkelijks te vertellen, behalve misschien dat Her Ladyship me verbaasde met haar sofa-werk. Tot dat moment had ik de sofa altijd als een bar slecht gevechtsterrein beschouwd, hoewel ik vaak genoeg gedwongen was er met de Londense debutantjes gebruik van te maken terwijl hun ouders boven lagen te ronken. Voor mij was de sofa een beestachtig oncomfortabel kreng met aan drie kanten gecapitonneerde zijwanden en een horizontaal gedeelte dat zo smal was dat je voortdurend op de grond viel. Maar lady Makepiece was een sofa-tovenares. Voor haar was de sofa een soort gymnastisch paard waarop ze wipte en sprong en hupte en rolde en de meest opmerkelijke standen wist te bereiken.

'Bent u ooit gymnastieklerares geweest?' vroeg ik haar.

'Hou je mond en concentreer je,' zei ze, terwijl ze me als een stuk soezendeeg heen en weer rolde.

Gelukkig was ik jong en lenig, anders zou ik zeker iets gebroken hebben. En dat deed me denken aan die goeie oude sir Charles en aan wat die in zijn tijd moest hebben doorgemaakt. Geen wonder dat hij er de voorkeur aan had gegeven in de motteballen te gaan. Wacht maar, dacht ik, tot hij aan de cantharidekever gaat. Dan zal *zij* het zijn die af zal fluiten voor de rust, niet hij.

Lady Makepiece was een verkleedartieste. Een paar minuten na ons kleine hospartijtje zat ze weer aan haar kleine Louis xv-bureautje en zag er even goedgekapt en tot in de puntjes gekleed uit als toen we kennis maakten. De druk was nu van de ketel en ze had de slaperige, tevreden uitdrukking van een boa constrictor die net een levende rat heeft ingeslikt.

'Moet je horen,' zei ze, terwijl ze een stuk papier bestudeerde. 'Morgen geven we een tamelijk groot banket omdat het Mafeking Dag is.'

'Maar Mafeking is al twaalf jaar geleden ontzet,' zei ik.

'We vieren het nog steeds,' zei ze. 'Wat ik wilde zeggen is dat admiraal Joubert is uitgevallen. Hij houdt een vlootschouw in de Middellandse Zee. Hoe zou je het vinden om zijn plaats in te nemen?'

Het scheelde niet veel of ik was in gejuich uitgebarsten. Het was precies wat ik wilde. 'Ik zou zeer vereerd zijn,' zei ik.

'De meeste ministers zullen er zijn,' zei ze. 'En alle belangrijke ambassadeurs. Heb je een rokkostuum?'

'Dat heb ik,' zei ik. In die jaren reisde je nooit ergens heen zonder complete avondkleding, zelfs op mijn leeftijd.

'Goed,' zei ze, terwijl ze mijn naam op de gastenlijst zette. 'Morgen om acht uur dus. Goedemiddag, mijn kleine man. Het was leuk kennis met je gemaakt te hebben.' Ze was alweer in haar gastenlijst verdiept, dus ik liet mezelf maar uit.

4

De volgende avond maakte ik, om acht uur precies, mijn opwachting bij de ambassade. Ik was volledig uitgedost in rokkostuum met zwaluwstaart en al. In die dagen had een rok een
diepe zak aan de binnenkant van elk pand en in deze zakken
had ik in het totaal twaalf kleine doosjes opgeborgen, elk met
een pil. De ambassade baadde in een zee van licht en van alle
kanten reden rijtuigen bij de poort af en aan. Overal stonden
geüniformeerde lakeien. Ik liep naar binnen en sloot me aan bij
de rij gasten om de gastvrouw te begroeten.

'Lieve jongen,' zei lady Makepiece, 'ik ben zo blij dat je kon
komen. Charles, dit is Oswald Cornelius, de zoon van William.'

Sir Charles Makepiece was een klein mannetje met een hoofd
vol elegant wit haar. Zijn huid had de kleur van biscuitjes en
zag er ongezond, poederig uit, alsof er een beetje basterdsuiker
over gestrooid was. Zijn hele gezicht, van voorhoofd tot kin,
was doorgroefd met diepe kloven en dat maakte dat hij er, met
zijn poederige, koekachtige huid, uitzag als een terracotta buste
die was begonnen te verbrokkelen.

'Zo, dus jij bent Williams zoon, hè?' zei hij, terwijl hij mijn
hand schudde. 'Hoe bevalt het je in Parijs? Als er ook maar iets
is dat ik voor je kan doen hoef je maar te kikken.'

Ik bewoog me door de schitterende menigte. Ik leek wel de
enige aanwezige man die niet overdekt was met onderscheidin-
gen en linten. We dronken champagne. Daarna gingen we aan
tafel. De eetzaal bood een fantastische aanblik. Er zaten ongeveer honderd gasten aan beide kanten van de tafel die zo lang
was als een tennisveld. Kleine kaartjes gaven aan waar we
moesten gaan zitten. Mijn plaats was tussen twee onbeschrijf-
lijk lelijke oude vrouwen. De een was de vrouw van de Bulgaarse ambassadeur en de andere een tante van de koning van
Spanje. Ik concentreerde me op het eten, dat werkelijk voortreffelijk was. Ik kan me nog altijd die grote truffel herinneren, met

de afmetingen van een golfbal, gestoofd in witte wijn in een klein stenen potje met een dekseltje. En de manier waarop de gepocheerde tarbot net niet helemaal gaar was: in het midden bijna rauw, maar wel gloeiend heet. (Engelsen en Amerikanen maken hun vis meestal veel te gaar.) En dan de wijnen. Die waren het waard om herinnerd te worden, die wijnen!

Maar wat, zal u zeggen, wist die zeventienjarige Oswald Cornelius nou van wijnen? Een goede vraag. Toch luidt het antwoord dat hij er tamelijk veel van afwist. Want ik heb u nog niet verteld dat mijn vader meer van wijn hield dan van wat ook in het leven, vrouwen inbegrepen. Ik denk dat hij een echte expert was. Bourgogne had zijn grote voorliefde. Hij hield ook van bordeaux, maar naar zijn mening was zelfs de beste bordeaux nog iets te vrouwelijk. 'Bordeaux,' zei hij altijd, 'heeft misschien een aardiger gezicht en een beter figuur, maar bourgogne heeft spieren en pezen.'

Tegen de tijd dat ik veertien werd begon hij wat van zijn liefde voor wijnen op me over te dragen en nog maar een jaar tevoren had hij me meegenomen voor een wandeltocht van tien dagen door de Bourgogne, tijdens de wijnoogst in september. We waren begonnen in Chagny en daar waren we in ons eigen tempo noordwaarts, richting Dijon gelopen, zodat we in de daaropvolgende week de Côte de Nuits in zijn volle lengte overstaken. Het was een opwindende ervaring. We liepen niet over de hoofdweg maar over de smalle hobbelige landweggetjes die ons langs bijna alle grote wijngaarden op die beroemde helling leidden, eerst Montrachet, dan Meursault, daarna Pommard en daarna een nacht in een schitterend klein hotelletje in Beaune waar we *écrivisses* aten die in witte wijn zwommen, en dikke plakken *foie gras* op beboterde toast.

Ik kan me nog goed herinneren hoe we de volgende dag lunchten terwijl we op die lange witte muur zaten die rond Romanée Conti loopt – koude kip, stokbrood, een *fromage dur* en een fles Romanée Conti zelf. We zetten ons eten bovenop de muur en de fles ertegenaan, samen met twee goede wijnglazen. Mijn vader ontkurkte de fles en schonk de wijn in terwijl ik mijn best deed de kip te ontbenen, en zo zaten we in de warme herfstzon en keken naar de plukkers die de lange rijen wijnstokken afwerkten, hun manden vulden, ze naar het begin van de rij brachten, de druiven in grotere manden gooiden die op hun beurt weer leeggekieperd werden in karren die door fletse lichtbruine paarden werden getrokken. Ik kan me herinneren dat mijn vader op die muur zat en, terwijl hij met een halfafgegeten kippepoot in de richting van dat prachtige toneel zwaaide, zei: 'Je zit nu, mijn jongen, aan de rand van het beroemdste stuk land van de hele wereld! Kijk dat nu eens! Krap twee hectare steenachtige rode klei! Meer is het niet! Maar de druiven die je ze op dit moment ziet plukken brengen een wijn voort die het summum onder de wijnen is. Hij is ook bijna niet te vinden omdat er zo weinig van gemaakt wordt. Deze fles, die wij nu drinken, kwam hier elf jaar geleden vandaan. Ruik hem! Snuif het bouquet op! Proef hem! Drink hem! Maar probeer nooit hem te beschrijven. Het is onmogelijk zo'n smaak in woorden te vatten! Een Romanée Conti drinken is als een orgasme in je mond en in je neus op hetzelfde moment.'

Ik vond het heerlijk als mijn vader zich zo opwond. Als ik in die jonge jaren zo naar hem luisterde, begon ik me te realiseren hoe belangrijk het was in je leven ergens warm voor te kunnen lopen. Hij leerde me dat als je in iets geïnteresseerd bent, ongeacht wat het is, je er met al je krachten achteraan moet gaan. Omarm het met beide armen, vertroetel het, hou ervan en word er vooral hartstochtelijk over. Lauw is niet voldoende. Heet is ook niet goed. Roodgloeiend en hartstochtelijk is het enige.

We bezochten Clos de Vougeot en Bonnes-Mares en Clos de la Roche en Chambertin en veel andere schitterende landgoederen. We daalden af in de kelders van de châteaux en proefden de wijn van het vorige jaar uit het vat. We zagen hoe de druiven geperst werden in reusachtige houten schroefpersen waarbij zes man nodig waren om de schroef aan te draaien. We zagen hoe het sap uit de persen naar de grote houten vaten geleid werd, en in Chambolle-Musigny, waar ze een week eerder dan de meeste anderen hadden geplukt, zagen we het druivesap tot leven komen in de kolossale, bijna vier meter hoge vaten, kolkend en borrelend terwijl het zijn eigen magische proces begon van het omzetten van suiker in alcohol. En net toen wij daar stonden begon de wijn zo heftig te werken en het kolken en

borrelen werd zo tomeloos wild dat een paar mannen op de vaten moesten klimmen en op het deksel moesten gaan zitten om
dat dicht te houden.

Ik ben weer afgedwaald. Ik moet de draad van mijn verhaal
weer opnemen. Maar ik heb u heel snel willen aantonen dat ik
ondanks mijn jeugdige leeftijd heel goed in staat was om de
kwaliteit van de wijnen te beoordelen die ik die avond op de
Britse ambassade in Parijs dronk. Ze waren inderdaad om
nooit te vergeten.

We begonnen met een Chablis Grand Cru 'Grenouilles'. Vervolgens een Latour. Daarna een Richebourg. En bij het dessert
een heel oude Yquem. Ik kan me van geen van hen het jaar herinneren, maar ze waren allemaal van voor de fylloxera-ramp.

Toen het diner voorbij was verlieten de dames in het kielzog
van lady Makepiece de zaal. Sir Charles ging de heren voor
naar een grote aangrenzende zitkamer om port en cognac en
koffie te drinken.

Toen de heren zich in die zitkamer in groepjes begonnen op
te delen zorgde ik er snel voor dat ik naast de gastheer zelf
kwam te zitten. 'Ah, ben je daar, mijn jongen,' zei hij. 'Kom
hier naast me zitten.'

Uitstekend.

We waren in deze groep met zijn elven, mij meegerekend, en
sir Charles stelde me heel hoffelijk achtereenvolgens aan ieder
voor. 'Dit is Oswald Cornelius,' zei hij. 'Zijn vader was onze
man in Kopenhagen. Maak kennis met de Duitse ambassadeur,
Oswald.' Ik maakte kennis met de Duitse ambassadeur. Toen
maakte ik kennis met de Italiaanse ambassadeur, en met de
Hongaarse ambassadeur en met de Russische ambassadeur en
met de Peruaanse ambassadeur en met de Mexicaanse ambassadeur. Daarna maakte ik kennis met de Franse minister van
buitenlandse zaken en met een Franse generaal van de land-
macht en tenslotte met een grappige kleine donkere man uit
Japan die eenvoudig als monsieur Mitsoukou werd voorgesteld.
Ze spraken allemaal Engels en kennelijk hadden ze uit hoffelijk-
heid tegenover hun gastheer dat als hun taal van die avond gekozen.

'Neem een glaasje port, jongeman,' zei sir Charles tegen me, 'en geef hem door.' Ik schonk mezelf wat port in en gaf de karaf voorzichtig door aan mijn linkerbuurman. 'Dit is een goede fles Fonseca uit '87. Volgens je vader heb je een beurs voor Trinity. Heb ik het juist?'

'Ja, meneer,' zei ik. Het grote ogenblik kon nu ieder moment voor me aanbreken. Ik mocht het niet missen. Ik moest me erop storten.

'Welke faculteit doe je?' vroeg sir Charles me.

'De exacte vakken, sir,' antwoordde ik. Toen stortte ik me erop. 'Nu we het er toch over hebben,' zei ik, terwijl ik mijn stem net voldoende verhief zodat ze me allemaal konden horen, 'op dit moment wordt er iets werkelijk verbazingwekkends gedaan in een van de laboratoria. Topgeheim. U zou gewoon niet willen geloven wat ze zojuist ontdekt hebben.'

Tien hoofden richtten zich op en tien paar ogen maakten zich los van portglazen en koffiekopjes en keken me met enige belangstelling aan.

'Ik wist niet dat je al begonnen was,' zei sir Charles. 'Ik dacht dat je nog een jaar moest wachten en dat je daarom hier bent.'

'Ja, dat klopt,' zei ik, 'maar mijn toekomstige mentor vroeg me een groot deel van mijn laatste trimester in het Natuurwetenschappelijk Lab te komen werken. Natuurwetenschappen is mijn voorkeursvak.'

'En wat hebben ze, als ik zo vrij mag zijn, zojuist ontdekt dat zo geheim en zo opmerkelijk is?' De stem van sir Charles klonk nu wat ironisch en dat was hem niet kwalijk te nemen.

'Tsja, eh,' mompelde ik, en toen stopte ik, expres.

Het bleef een paar seconden stil. De negen buitenlanders en de Britse ambassadeur wachtten stil en beleefd tot ik verderging. Ze keken me aan met een mengsel van gewilligheid en geamuseerdheid. Het leek of ze wilden zeggen dat deze jonge knaap wel wat overmoedig was door zo voor hen van wal te steken. Maar we zullen hem laten uitspreken. Dat is altijd nog beter dan over politiek praten.

'Je gaat me toch niet vertellen dat ze iemand van jouw leeftijd met geheimen laten omgaan,' zei sir Charles, terwijl hij een flauwe glimlach op zijn brokkelige terracotta-gezicht vertoonde.

'Het zijn geen *militaire* geheimen, sir,' zei ik. 'Ze zouden een vijand niet kunnen helpen. Het zijn geheimen die de hele mensheid zullen helpen.'

'Vertel ons er dan maar alles over,' zei sir Charles, terwijl hij een reusachtige sigaar opstak. 'Je hebt hier een voornaam gehoor en ze wachten allemaal in spanning op wat je te zeggen hebt.'

'Ik denk dat het de grootste wetenschappelijke doorbraak sinds Pasteur betreft,' zei ik. 'Het gaat de wereld veranderen.'

De Franse minister van buitenlandse zaken maakte een scherp fluitend geluid door de lucht hard door zijn harige neusgaten op te snuiven. 'U heeft op dit moment een tweede Pasteur in Engeland?' zei hij. 'In dat geval zou ik heel graag iets over hem willen vernemen.' Deze minister was een gladde, zalvende Fransman, en zo geslepen als een scheermes. Die moest ik in de gaten houden.

'Als de wereld op het punt st&aat grondig veranderd te worden,' zei sir Charles, 'verbaast het me enigszins dat deze informatie nog niet zijn weg naar mijn bureau gevonden heeft.'

Rustig aan, Oswald, zei ik in mezelf. Je bent nog maar net begonnen en je legt het er nu al te dik bovenop.

'Mijn verontschuldigingen, sir, maar het is zo dat hij er nog niets over gepubliceerd heeft.'

'Wie niet? Wie is *hij*?'

'Professor Yousoupoff, sir.'

De Russische ambassadeur zette zijn glas port neer en zei: 'Yousoupoff? Is het een Rus?'

'Ja, sir, het is een Rus.'

'Waarom heb *ik* dan nog nooit van hem gehoord?'

Ik was niet van plan met deze kozak met zwarte ogen en zwarte baard in discussie te treden en daarom hield ik mijn mond.

'Nou, vooruit jongeman,' zei sir Charles. 'Vertel ons alles over de grootste wetenschappelijke doorbraak van onze tijd. Je moet ons niet in spanning laten, vind je niet?'

Ik nam een paar keer een teug adem en port. Dit was het grote moment. Als ik het in hemelsnaam maar niet verknalde.

'Professor Yousoupoff,' zei ik, 'heeft jaren gewerkt aan de theorie dat de zaden van een rijpe granaatappel een ingrediënt bevatten met krachtige verjongende eigenschappen.'

'In mijn land hebben we miljoenen en miljoenen granaatappels!' riep de Italiaanse ambassadeur uit, terwijl hij trots rondkeek.

'Wees stil, Emilio,' zei sir Charles. 'Laat die jongen verder vertellen.'

'Zevenentwintig jaar lang heeft professor Yousoupoff het zaad van de granaatappel bestudeerd. Het werd een obsessie voor hem. Hij bleef altijd in het lab slapen. Hij ging nooit uit. Hij is nooit getrouwd. Het hele lab was bezaaid met granaatappels en hun zaden.'

'Wilt u mij wel verontschuldigen,' zei de Japanse man. 'Maar waarom de granaatappel. Waarom niet de druif of de zwarte bes?'

'Die vraag kan ik niet beantwoorden, meneer,' zei ik. 'Ik neem aan dat hij er gewoon een vermoeden van had.'

'Nogal een lange tijd om je met een vermoeden bezig te houden,' zei sir Charles. 'Maar ga door, jongen. We zouden je niet moeten onderbreken.'

'Jongstleden januari,' zei ik, 'werd het geduld van de professor eindelijk beloond. Hij deed het volgende. Hij ontleedde het zaad van een granaatappel en onderzocht de inhoud deeltje voor deeltje onder een sterke microscoop. En toen ontdekte hij pas dat zich helemaal in het midden van het zaadje een minuscuul stukje van een rood plantaardig weefsel bevond dat hij nog niet eerder gezien had. Vervolgens isoleerde hij dit kleine stukje weefsel. Het was duidelijk te klein om op zijn eentje van nut te kunnen zijn. Daarom begon de professor honderd zaden te ontleden en isoleerde er honderd van die kleine rode deeltjes uit. En daar mocht ik hem nu bij helpen. Ik bedoel bij het isoleren van die kleine deeltjes onder een microscoop. Dat nam alleen al een hele week in beslag.'

Ik nam nog een slok port. Mijn gehoor wachtte tot ik verder zou gaan.

'We hadden toen dus honderd rode deeltjes, maar zelfs als we ze allemaal bij elkaar op een microscoopglaasje legden was het resultaat met het blote oog niet zichtbaar.'

'En je zei dat ze rood waren, die kleine dingen?' zei de Hongaarse ambassadeur.

'Onder de microscoop waren ze schitterend scharlaken rood,' zei ik.

'En wat deed deze beroemde professor er toen mee?'

'Hij gaf ze aan een rat te eten,' zei ik.

'Een rat!'

'Ja,' zei ik, 'een grote witte rat.'

'Warum wollte man die kleine sjarlaken diengetjes ein rat zu essen geben?' vroeg de Duitse ambassadeur.

'Geef hem een kans, Wolfgang,' zei sir Charles tegen de Duitser. 'Laat hem uitspreken. Ik wil weten wat er gebeurde.' Hij knikte dat ik verder moest gaan.

'U moet weten, sir,' zei ik, 'dat professor Yousoupoff in zijn laboratorium een heleboel witte ratten had. Hij nam de honderd kleine rode deeltjes en gaf ze allemaal aan een enkele grote gezonde mannelijke rat te eten. Dat deed hij door ze onder een microscoop in een stukje vlees te stoppen. Daarna zette hij de rat in een kooi met tien vrouwelijke ratten. Ik herinner me als de dag van gisteren hoe de professor en ik naast de kooi naar de mannelijke rat keken. Het was laat in de middag en we waren zo opgewonden dat we volkomen vergeten waren te lunchen.'

'Verontschuldig mij een ogenblikje, alstublieft,' zei de slimme Franse minister van buitenlandse zaken. 'Maar waarom waren jullie zo opgewonden? Waardoor dachten jullie dat er ook maar iets ging gebeuren met die rat?'

Daar gaan we, dacht ik. Ik wist dat ik deze uitgekookte Fransman in de gaten moest houden. 'Ik was opgewonden, sir, eenvoudig omdat de professor opgewonden was,' zei ik. 'Hij scheen te *weten* dat er iets te gebeuren stond. Ik kan u niet vertellen hoe. U moet niet vergeten, heren, dat ik niet meer dan een heel jonge leerling-assistent was. De professor vertelde mij niet al zijn geheimen.'

'Ik begrijp het,' zei de minister. 'Laten we maar verdergaan.'

'Ja, sir,' zei ik. 'Nou, we observeerden dus die rat. Eerst gebeurde er niets. Toen, na precies negen minuten, werd de rat plotseling doodstil. Hij dook trillend en bevend ineen. Hij keek naar de vrouwtjesratten. Hij kroop naar de dichtstbijzijnde toe en pakte haar met zijn tanden in haar nekvel en besprong haar. Het duurde niet lang. Hij handelde heel heftig en heel snel.

Maar nu komt het bijzondere. Op het moment dat de rat ophield te copuleren met het eerste vrouwtje greep hij een tweede en deed precies hetzelfde. Daarna pakte hij een derde vrouwtjesrat en een vierde en een vijfde. Hij was absoluut onvermoeibaar. Hij sprong van het ene vrouwtje naar het andere en pakte ze ieder op haar beurt tot hij ze alle tien gedekt had. Maar zelfs toen, heren, had hij nog niet genoeg gehad!'

'Lieve hemel!' mompelde sir Charles. 'Wat een merkwaardig experiment.'

'Ik moet er nog aan toevoegen,' ging ik verder, 'dat ratten gewoonlijk geen promiscueuze wezens zijn. Hun seksuele gewoonten zijn in feite tamelijk matig.'

'Bent u daar zeker van?' vroeg de Franse minister van buitenlandse zaken. 'Ik dacht dat ratten buitengewoon wellustig waren.'

'Nee meneer,' antwoordde ik vastberaden. 'In feite zijn ratten erg intelligente en vriendelijke wezens. Ze zijn gemakkelijk te temmen.'

'Ga nu maar verder,' zei sir Charles. 'Wat werden jullie daar nu allemaal wijzer van?'

'Professor Yousoupouff werd heel erg opgewonden. "Oswaldsky!" riep hij – zo noemde hij me – "Oswaldsky, mijn jongen, ik denk dat ik het absoluut meest fantastisch krachtige seksueel opwekkende middel in de hele geschiedenis van de mensheid heb uitgevonden!"

"Dat denk ik ook," zei ik. We stonden nog steeds bij de rattenkooi en de mannetjesrat besprong nog steeds die arme vrouwtjes, de een na de ander. Na een uur was hij ineengezakt van uitputting. "We hebben hem een te grote dosis gegeven," zei de professor.'

'Die rat,' vroeg de Mexicaanse ambassadeur, 'wat gebeurde daar tenslotte mee?'

'Hij stierf,' zei ik.

'Van te veel vrouwen, ja?'

'Ja,' zei ik.

De kleine Mexicaan klapte hard in zijn handen en riep uit: 'Dat is precies de manier waarop ik eruit wil stappen als ik dood ga. Van te veel vrouwen!'

'In Mexico zal het eerder van te veel geiten en ezels zijn,' snoof de Duitse ambassadeur.

'Zo gaat het wel weer, Wolfgang,' zei sir Charles. 'Laten we geen oorlogen beginnen. We luisteren op het moment naar een uiterst interessant verhaal. Ga door, jongen, ga door.'

'De volgende keer isoleerden we dus maar twintig van die kleine rode microscopische nuclei. We stopten ze in een deegballetje en gingen op zoek naar een heel oude man. Met assistentie van de plaatselijke krant vonden we onze oude man in Newmarket – dat is een stadje dat niet ver van Cambridge ligt. Hij heette Sawkins en was honderdtwee. Hij leed aan een gevorderde staat van seniele dementie. Hij was kinds en moest met een lepel gevoerd worden. Hij was al zeven jaar zijn bed niet uitgeweest. De professor en ik klopten bij hem aan, en zijn dochter, die tachtig was, deed open. "Ik ben professor Yousoupoff," stelde de professor zich voor. "Ik heb een geweldig medicijn uitgevonden om oude mensen te helpen. Staat u ons toe dat wij er iets van aan uw arme oude vader geven?"

"Je geeft hem maar wat je wilt, proffie," zei de dochter. "De oude gek weet van voren niet of ie van achteren leeft. Hij geeft niets als last."

We gingen naar boven en de professor slaagde er op een of andere manier in het deegballetje door de keel van de oude man naar binnen te wringen. Ik keek op mijn horloge hoe laat het was. "Laten we ons voor de deur buiten terugtrekken en de zaak observeren," zei de professor.

We gingen naar buiten en bleven op straat staan. Ik telde hardop iedere minuut die voorbijging. En toen – u zult het niet willen geloven, heren, maar ik zweer dat het de waarheid is en niets dan de waarheid – toen er precies negen minuten verlopen waren, klonk er een donderend gebrul uit Sawkins' huis. De voordeur barstte open en de oude man zelf stormde de straat op. Hij was blootsvoets en droeg een vuile, blauw-grijs gestreepte pyjama en zijn lange witte haar hing tot over zijn schouders. "Ik wil een vrouw hebben!" raasde hij. "Ik wil een vrouw hebben en bij God, ik zal er een krijgen!" De professor greep me bij mijn arm. "Verroer je niet," zei hij. "Je moet alleen maar observeren!"

De tachtigjarige dochter kwam rennend achter haar vader aan. "Kom terug, oude gek die je bent," schreeuwde ze. "Wat flik je nou?"

We bevonden ons overigens in een smal straatje met aan beide kanten een rijtje identieke, aan elkaar gebouwde huizen. Sawkins negeerde zijn dochter en rende, hij rende werkelijk, naar het buurhuis. "Doe open, vrouw Twitchell!" brulde hij. "Kom op, liefje van me, doe open en laten we wat plezier maken!"

Ik zag een glimp van het geschrokken gezicht van mevrouw Twitchell achter het raam. Toen dook ze weg. Sawkins zette, nog steeds brullend, zijn schouder tegen de wrakke deur en verbrak het slot. Hij dook naar binnen. Wij bleven op straat staan en wachtten de ontwikkelingen af. De professor was heel opgewonden. Hij sprong in zijn rare laarzen op en neer en riep: "We hebben een doorbraak! Het is ons gelukt! We zullen de wereld verjongen!"

Plotseling kwamen er doordringende schreeuwen en gillen uit mevrouw Twitchells huis. De buren begonnen op straat te hoop te lopen. "Ga naar binnen en grijp hem!" schreeuwde de oude dochter. "De kolder is hem in zijn kop geslagen!" Twee mannen renden het huis van Twitchell binnen. Er klonken geluiden van een handgemeen. En al gauw kwamen de twee mannen naar buiten, met de oude Sawkins in een houdgreep tussen zich in. "Kep ur gepakt!" schreeuwde hij. "Kep de ouwe tang goed gepakt! Kep ur bijna doodgerammeld!" Op dat moment verlieten de professor en ik stilletjes het toneel.'

Ik stopte even met mijn verhaal. Zeven ambassadeurs, de minister van buitenlandse zaken van Frankrijk, de Franse generaal en het Japanse mannetje zaten allemaal op het puntje van hun stoel en staarden me aan.

'Is dat *precies* wat er gebeurde?' vroeg sir Charles me.

'Woord voor woord, sir. Ik durf er mijn hand voor in het vuur te steken,' loog ik. 'Wanneer professor Yousoupoff zijn ontdekking publiceert zal de hele wereld lezen wat ik u zojuist verteld heb.'

'En wat gebeurde er daarna?' vroeg de Peruaanse ambassadeur.

'Daarna was alles betrekkelijk eenvoudig,' zei ik. 'De professor verrichtte een aantal experimenten om te ontdekken wat de juiste en volkomen veilige dosis is voor een normale volwassen man. Daar gebruikte hij eerstejaars vrijwilligers voor. En ik kan u verzekeren, heren, dat hij geen moeite had daar jongemannen voor te vinden. Zodra het nieuws zich over de universiteit verspreid had was er een wachtlijst van over de achthonderd. Maar om een lang verhaal kort te maken, de professor toonde tenslotte aan dat de veilige dosis uit niet meer dan vijf van die kleine microscopische nuclei uit het granaatappelzaad bestond. Zo vervaardigde hij, met calcium-carbonaat als basis, een pil die precies deze hoeveelheid van het magische bestanddeel bevatte. En hij bewees onweerlegbaar dat een van die pillen voldoende was om iedere man, zelfs een afgetakelde grijsaard, in precies negen minuten in een fantastische krachtige seks-machine te veranderen die in staat is om zijn partner zes uur lang non-stop te bevredigen, *zonder uitzondering.*'

'Gott im Himmel!' riep de Duitse ambassadeur. 'Waar kan ich das sjpul zu pakken kriegen?'

'Ik ook!' riep de Russische ambassadeur. 'Iek hap voorrang vant het was door mijn landsman uitvonden geworden! Ik moet de tsaar onmiddellijk berichten!'

Plotseling spraken ze allemaal door elkaar. Waar konden ze het krijgen? Ze wilden het nu! Hoeveel kostte het? Ze wilden er koninklijk voor betalen! En het kleine Japannertje aan mijn linkerhand leunde naar me over en siste: 'U zorgen voor grote voorraad pillen. Ik geven heel veel geld...'

'Een ogenblikje, heren,' zei sir Charles, terwijl hij een rimpelige hand ophief om om stilte te verzoeken. 'Onze vriend heeft ons een fascinerend verhaal verteld, maar, zoals hij heel terecht heeft gezegd, is hij niet meer dan een jonge leerling-assistent van professor Dinges. Ik weet dan ook bijna zeker dat hij niet in een positie is om ons die opmerkelijke nieuwe pil te verschaffen. Hoewel je misschien, mijn beste Oswald,' en sir Charles leunde naar me over en legde stevig een verschrompelde hand op mijn onderarm, 'misschien, mijn beste Oswald, zou je me in contact kunnen brengen met de grote professor. Het is een van mijn taken hier op de ambassade om het Foreign Office op de hoogte te houden van alle nieuwe wetenschappelijke ontdekkingen.'

'Ik begrijp het,' zei ik.

'Als ik de hand kon leggen op een fles van die pillen, bij voorkeur een *grote* fles, zou ik hem meteen naar Londen sturen.'

'En iek zou hem naar Petrograd sjturen,' zei de Russische ambassadeur.

'En ik naar Budapest.'

'En ik naar Mexico Stad.'

'En ik naar Lima.'

'En ik naar Rome.'

'Flauwe Kuul!' riep de Duitse ambassadeur. 'Joellie wiellen ze voor joellie zelf, ouwe viezerieken!'

'Tut, tut, Wolfgang,' zei sir Charles, die zich niet helemaal op zijn gemak voelde.

'Warum nicht, mein lieber Charles? Iek wiel ze auch vor mich selbst. Auch vor den Kaiser, naturlich, aber ich erst.'

Ik besloot dat ik de Duitse ambassadeur wel aardig vond. Hij was tenminste eerlijk.

'Heren, ik denk dat het het beste is als ik zelf alles regel,' zei sir Charles. 'Ik zal persoonlijk aan de professor schrijven.'

'Het Japanse volk,' zei meneer Mitsoukou, 'heeft veel belangstelling voor massage-technieken en hete baden en voor alle verwante technische ontwikkelingen, vooral de keizer zelf.'

Ik liet ze uitpraten. Ik had nu alles in handen en dat gaf me een goed gevoel. Ik nam nog een glas port maar weigerde de reusachtige sigaar die sir Charles me aanbood. 'Heb je liever een kleinere, beste jongen?' vroeg hij gretig. 'Of een Turkse sigaret? Ik heb wat Balkan Sobranies.'

'Nee dank u, sir,' zei ik, 'maar de port is heerlijk.'

'Ga je gang, beste jongen! Schenk nog eens in!'

'Ik heb nog een interessante mededeling,' zei ik en plotseling werd iedereen heel stil. De Duitse ambassadeur hield zijn hand achter zijn oor. De Rus ging op het uiterste puntje van zijn stoel zitten. Net als alle anderen.

'Wat ik u ga vertellen is uiterst vertrouwelijk,' zei ik. 'Mag ik erop vertrouwen dat u dit allemaal beslist voor u houdt?'

In koor klonk het: 'Ja, ja! Natuurlijk! Volkomen! Ga door jongeman!'

'Dank u,' zei ik. 'De kwestie is de volgende. Zodra ik wist dat ik naar Parijs zou gaan besloot ik dat ik gewoon een voorraadje van deze pillen mee moest nemen, speciaal voor mijn vaders grote vriend, sir Charles Makepiece.'

'Mijn beste jongen,' riep sir Charles uit. 'Wat een genereuze gedachte!'

'Ik kon de professor natuurlijk niet vragen er wat aan mij te geven,' zei ik. 'Dat zou hij nooit goed gevonden hebben. Ze staan tenslotte nog steeds op de geheime lijst.'

'Wat heb je dan gedaan?' vroeg sir Charles. Hij kwijlde van opwinding. 'Heb je ze ontvreemd?'

'Natuurlijk niet, sir,' zei ik. 'Stelen is een misdrijf.'

'Trek je van ons niets aan, beste jongen. We zullen het niemand vertellen.'

'Wat heb je dan getan?' vroeg de Duitse ambassadeur. 'Sie sagen dass sie sie haben und nicht gestohlen habt?'

'Ik heb ze zelf gemaakt,' zei ik.

'Briljant!' riepen ze. 'Fantastisch!'

'Omdat ik de professor in alle fasen geassisteerd heb,' zei ik, 'wist ik natuurlijk precies hoe ik deze pillen moest maken. Daarom... eh... heb ik... ze gewoon iedere dag in zijn laboratorium gemaakt toen hij tussen de middag weg was.' Langzaam reikte ik achter me en nam een klein rond doosje uit de zak in mijn jaspand. Ik zette het op de salontafel. Ik opende het deksel. En daar lag, in zijn nestje van watten, een enkele scharlaken pil.

Iedereen leunde naar voren om te kijken. Toen zag ik de plompe bleke hand van de Duitse ambassadeur over het oppervlak van de tafel naar voren kruipen als een wezel die een muis besluipt. Sir Charles zag het ook. Hij sloeg zijn eigen handpalm boven op die van de Duitser en blokkeerde die. 'Kalm aan, Wolfgang,' zei hij, 'niet ongeduldig zijn.'

'Ich wil die pil!' riep ambassadeur Wolfgang.

Sir Charles legde zijn andere hand op het pillendoosje en hield hem daar. 'Heb je er nog meer?' vroeg hij me.

Ik zocht in mijn jaspand en haalde nog negen doosjes te voorschijn. 'Er is er een voor ieder van u,' zei ik.

Gretige handen grepen over de tafel naar de kleine doosjes. 'Ik betaal,' zei meneer Mitsoukou. 'Hoeveel wil je?'

'Nee,' zei ik. 'Dit zijn geschenken. Probeer ze maar eens, heren. Bekijk maar eens wat u ervan vindt.'

Sir Charles bestudeerde het etiket op de doos. 'Aha,' zei hij. 'Ik zie dat je je adres erop hebt laten drukken.'

'Dat is voor het geval dat,' zei ik.

'Voor welk geval?'

'Voor het geval dat iemand een tweede pil wil,' zei ik.

Ik merkte dat de Duitse ambassadeur een klein boekje uit zijn zak gehaald had en aantekeningen maakte. 'Meneer,' zei ik tegen hem. 'Ik neem aan dat u erover denkt uw geleerden te vertellen dat ze de zaden van de granaatappel moeten onderzoeken. Is dat juist?'

'Das ist genau was ich denke, jawohl,' zei hij.

'Dat heeft geen zin,' zei ik. 'Zonde van de moeite.'

'Durf ich vragen warum?'

'Omdat het niet om de granaatappel gaat,' zei ik. 'Het is iets anders.'

'Dus u heeft ons belogen!'

'Het is de enige onwaarheid uit het hele verhaal dat ik u verteld heb,' zei ik. 'Vergeef me, maar ik kon niet anders. Ik moest professor Yousoupoffs geheim beschermen. Het was een erekwestie. Al het andere is waar. Geloof me dat het waar is. Het is vooral waar dat ieder van u in het bezit is van de krachtigste verjonger die de wereld ooit gekend heeft.'

Op dat moment kwamen de dames weer terug en iedere man in ons groepje stopte zijn pillendoosje snel en nogal stiekem in zijn zak. Ze stonden op. Ze begroetten hun vrouwen. Ik merkte dat sir Charles plotseling belachelijk aanminnig geworden was. Hij huppelde door de zaal en plaatste een raar soort zoen pardoes op lady Makepieces rode lippen. Ze keek hem aan met een blik van waar-is-dat-nou-weer-goed-voor? Onverstoorbaar nam hij haar arm en leidde haar naar de andere kant van de zaal waar een kluitje mensen stond. Het laatste wat ik zag was meneer Mitsoukou die door de zaal banjerde om het vrouwenvlees van nabij te inspecteren, als een paardenkoopman die op de veemarkt een stoet merries inspecteert. Ik sloop stilletjes weg.

Een half uur later was ik terug in mijn kosthuis aan de avenue Marceau. De familie was al naar bed en alle lampen waren
al uit, maar toen ik langs de deur van mademoiselle Nicole in
de gang boven liep kon ik door de spleet tussen de deur en de
drempel het geflikker van een kaars zien. De kleine slet lag
weer op me te wachten. Ik besloot niet naar binnen te gaan.
Daarbinnen was niets nieuws voor me te beleven. Zelfs in dit
prille begin van mijn carrière had ik al besloten dat de enige
vrouwen die me interesseerden nieuwe vrouwen waren. Een
tweede keer was nergens goed voor. Het was alsof je een detec-
tive voor de tweede keer las. Je wist precies wat er ging gebeuren. Het feit dat ik onlangs met die regel had gebroken door
mademoiselle Nicole voor een tweede keer te bezoeken, stond
daarbuiten. Dat had ik alleen maar gedaan om mijn cantharidekever-poeder te proberen. Overigens heb ik me mijn hele leven
strikt aan dit principe geen-vrouw-meer-dan-eens gehouden en
ik beveel het aan iedere man van de wereld die van afwisseling
houdt, aan.

5

Ik sliep die nacht uitstekend. De volgende morgen om elf uur lag ik nog te slapen toen het getrommel van de vuisten van mevrouw Boisvain op mijn deur me uit mijn slaap rukte. 'Opstaan, monsieur Cornelius!' riep ze. 'U moet onmiddellijk beneden komen! Er hebben sinds vanmorgen voor het ontbijt mensen aan mijn bel gehangen om u te spreken!'

In precies twee minuten was ik aangekleed en beneden. Ik ging naar de voordeur en daar stonden op de kleine steentjes van het trottoir niet minder dan zeven mannen, die ik geen van allen ooit had gezien. Ze vormden een schilderachtig groepje in hun veelkleurige sjieke uniformen met allerlei gouden tressen en zilveren knopen op hun jasjes.

Het bleken ambassadebodes te zijn en ze kwamen van de Britse, de Duitse, de Russische, de Hongaarse, de Italiaanse, de Mexicaanse en de Peruaanse ambassade. Iedere man had een aan mij gerichte brief bij zich. Ik nam de brieven aan en opende ze ter plekke. Ze zeiden allemaal min of meer hetzelfde: *Ze wilden meer pillen.* Ze smeekten om meer pillen. Ze gaven me instructies om de brenger dezes de pillen te geven, enzovoorts enzovoorts.

Ik zei de bodes buiten te wachten en ik ging terug naar mijn kamer. Ik schreef de volgende boodschap op elk van de brieven: *Zeer geachte heer, de fabricage van deze pillen is uitzonderlijk duur. Het spijt me dat de prijs per pil voortaan duizend francs zal bedragen.* Er gingen toentertijd twintig francs in een pond en dat betekende dat ik precies vijftig pond per pil vroeg. In 1912 was vijftig pond misschien wel tien keer zoveel waard als tegenwoordig. Omgerekend naar de standaard van tegenwoordig vroeg ik waarschijnlijk wel vijfhonderd pond per pil. Dat was een belachelijke prijs, maar het waren rijke mannen. Het waren ook seksueel geobsedeerde mannen en zoals iedere verstandige vrouw je kan vertellen is een man die tegelijkertijd

zeer welgesteld en volkomen bezeten van seks is, het gemakke-
lijkste doelwit ter wereld.

Ik liep weer naar beneden, gaf de brieven weer terug aan
hun respectievelijke brengers en zei ze de brieven aan hun
meesters terug te bezorgen. Terwijl ik daarmee bezig was kwamen er nog twee bodes aan, een van de Quai d'Orsay (het ministerie van buitenlandse zaken) en een van de generaal op het
ministerie van oorlog of hoe dat heet. En terwijl ik hetzelfde
bericht over de prijs op deze laatste twee brieven schreef, wie
anders kwam eraan in een mooie huurkoets dan meneer Mitsoukou zelf. Ik werd geschokt door zijn uiterlijk. De voorgaan-
de avond was hij een kwiek, monter en glunderend Japannertje
geweest. Deze ochtend had hij nauwelijks de kracht om uit zijn
koets te klimmen en toen hij op me af waggelde begonnen zijn
benen het te begeven. Ik kon hem nog net op tijd vastgrijpen.

'Waarde heer,' bracht hij uit terwijl hij met zijn beide handen
steun bij mijn schouders zocht. 'Mijn allerbeste heer! Het is een
wonder! Het is een wonderpil! Het is... het is de grootste uitvinding aller tijden.'

'Houdt u goed,' zei ik. 'Voelt u zich wel in orde?'

'Natuurlijk voel ik me in orde,' bracht hij uit. 'Ik ben een
beetje afgepeigerd, dat is alles.' Hij begon te giechelen, en zo
stond hij daar, dit kleine oriëntaalse mannetje gekleed in hoge
hoed en zwaluwstaart, terwijl hij zich aan mijn schouders vastklampte en nu steeds onbedaarlijker stond te giechelen. Hij was
zo klein dat de bovenkant van zijn hoge hoed niet boven mijn
onderste rib uitkwam. 'Ik ben een beetje afgepeigerd en geradbraakt,' zei hij, 'maar wie zou dat niet zijn?'

'Wat is er gebeurd, mijnheer?' vroeg ik hem.

'Ik heb *zeven vrouwen* aangerand!' riep hij uit. 'En dat waren niet onze kleine Japanse poppenhuisvrouwtjes! Nee, nee,
nee! Het waren reusachtig sterke Franse meiden! Ik pakte ze
om de beurt, *bang bang bang*! En ze riepen allemaal uit *camerade camerade camerade*! Ik was voor deze vrouwen een reus,
begrijp je dat, mijn beste jongeman? Ik was een reus en ik
zwaaide met mijn reuzenknuppel en liet ze allemaal alle hoeken
van de kamer zien!'

Ik bracht hem naar binnen en liet hem in de salon van madame Boisvain plaatsnemen. Ik versierde een glas cognac voor hem. Hij klokte het naar binnen en er begon een zwakke gelige kleur terug te keren op zijn bleke wangen. Ik zag dat er een leren beurs aan een koord aan zijn rechterpols hing, en toen hij hem daar afhaalde en op de tafel gooide, klonk het gerinkel van munten.

'U moet voorzichtig zijn,' zei ik hem. 'U bent nogal klein en dit zijn grote pillen. Ik denk dat het veiliger zou zijn als u iedere keer niet meer dan een halve dosis nam. Een halve pil in plaats van een hele.'

'Flauwekul!' riep hij. 'Flauwekul met stokjes, zoals we in Japan zeggen! Ik stel me voor vanavond niet één maar drie pillen in te nemen!'

'Heeft u gelezen wat er op het etiketje staat?' vroeg ik hem bezorgd. Het laatste wat ik wilde, was wel een dooie Jap over de vloer. Denk alleen maar eens aan het misbaar, de lijkschouwing, het onderzoek en de pillendoosjes met mijn naam erop in zijn huis.

'Ik bestudeer het etiket,' zei hij, terwijl hij zijn glas ophield om nog wat van madame Boisvains cognac te krijgen, 'en ik negeer het. Misschien zijn wij Japanners wel klein van lijf, maar niet van leden. Die zijn van gigantische afmetingen en daarom lopen we ook met kromme benen.'

Ik besloot dat ik zou proberen hem te ontmoedigen door de prijs te verdubbelen. 'Ik ben bang dat ze verschrikkelijk duur zijn, deze pillen,' zei ik.

'Geld speelt geen rol,' zei hij, terwijl hij naar de leren beurs op de tafel wees. 'Ik betaal in gouden munt.'

'Maar meneer Mitsoukou,' zei ik, 'iedere pil gaat u *tweeduizend* francs kosten! Ze zijn heel moeilijk te vervaardigen. Dat is ontzettend veel geld voor een pil.'

'Ik neem er twintig,' zei hij, zonder zelfs met zijn ogen te knipperen.

Mijn God, dacht ik, hij gaat zichzelf inderdaad van kant maken. 'Ik kan niet toestaan dat u ze neemt,' zei ik hem, 'tenzij u me uw woord geeft dat u nooit meer dan één pil tegelijk neemt.'

'Je moet me de les niet lezen, jonge rekel,' zei hij. 'Haal alleen maar die pillen voor me.'

Ik ging naar boven en telde twintig pillen uit en stopte ze in een gewoon potje. Ik ging geen risico lopen door mijn naam en adres op dit voorraadje te zetten.

'Ik zal er tien naar de keizer in Tokyo sturen,' zei Mitsoukou toen ik ze aan hem gaf. 'Het zal mij bij Zijne Majesteit in een uiterst gunstige positie plaatsen.'

'Het zal de keizerin ook in aardig wat gunstige posities plaatsen,' zei ik.

Hij grinnikte en pakte de leren beurs op en stortte een stapel gouden munten op de tafel. Het waren allemaal stukken van honderd francs.

'Twintig stukken voor iedere pil,' zei hij terwijl hij begon te tellen. 'Dat zijn bij elkaar vierhonderd munten. En ze zijn het dubbel en dwars waard, mijn jonge tovenaar.'

Toen hij weg was graaide ik de munten bijeen en bracht ze naar mijn kamer.

Mijn God, dacht ik. Ik ben al rijk.

Maar voor de dag om was, was ik nog een stuk rijker. Een voor een begonnen de bodes terug te komen van hun respectievelijke ambassades en ministeries. Ze hadden allemaal precieze orders en afgetelde hoeveelheden geld bij zich, 't meest in gouden twintig francs-stukken. Dat zag er als volgt uit:

Sir Charles Makepiece, 4 pillen	=	4.000 francs
De Duitse ambassadeur, 8 pillen	=	8.000 francs
De Russische ambassadeur, 10 pillen	=	10.000 francs
De Hongaarse ambassadeur, 3 pillen	=	3.000 francs
De Peruaanse ambassadeur, 2 pillen	=	2.000 francs
De Mexicaanse ambassadeur, 6 pillen	=	6.000 francs
De Italiaanse ambassadeur, 4 pillen	=	4.000 francs
De Franse minister van BZ, 6 pillen	=	6.000 francs
De generaal, 3 pillen	=	3.000 francs
		46.000 francs
Mitsoukou, 20 pillen (dubbele prijs)	=	40.000 francs
TOTAAL		86.000 francs

Zesentachtigduizend francs! Volgens de wisselkoers van vijf pond voor honderd francs bezat ik plotseling vierduizend driehonderd Engelse ponden! Het was ongelooflijk. Voor zoveel geld kon je een goed huis kopen, met een rijtuig en een stel paarden extra, evenals zo'n flitsende nieuwerwetse automobiel!

Voor het eten had madame Boisvain die avond een stoofpot van ossestaart gemaakt en die was helemaal niet zo slecht, behalve dat de kledderigheid van de schotel monsieur Boisvain ertoe aanzette om op de meest weerzinwekkende wijze te slobberen en te slurpen en te slokken. Op een gegeven moment pakte hij zijn bord op en goot de saus rechtstreeks in zijn mond, samen met een paar worteltjes en een grote ui. 'Mijn vrouw heeft me verteld dat je een heleboel vreemde bezoekers hebt gehad vandaag,' zei hij. Zijn gezicht zat onder de bruine saus en aan zijn snor hingen bruine draden vlees. 'Wie waren die heren?'

'Het waren vrienden van de Britse ambassadeur,' antwoordde ik. 'Ik doe wat zaken voor sir Charles Makepiece.'

'Ik kan niet toestaan dat mijn huis in een markt wordt veranderd,' zei monsieur Boisvain, met zijn mond vol vet. 'Er moet onmiddellijk een einde komen aan die activiteiten.'

'Maakt u zich geen zorgen,' zei ik. 'Morgen ga ik op zoek naar een ander onderkomen.'

'Bedoelt u dat u weggaat?' riep hij uit.

'Ik ben bang dat ik wel moet. Maar de door mijn vader vooruitbetaalde huur mag u houden.'

Er ontstond aan tafel enige opschudding over deze mededeling, vooral van de kant van mademoiselle Nicole, maar ik hield voet bij stuk. En de volgende ochtend trok ik erop uit en vond een tamelijk groot appartement op de begane grond met drie grote kamers en een keuken. Het was aan de avenue Jena. Ik pakte al mijn bezittingen in en laadde ze in een huurrijtuig. Madame Boisvain stond bij de voordeur om afscheid van me te nemen. 'Madame,' zei ik, 'ik heb een kleine gunst aan u te vragen.'

'Ja?'

'En ik wil dat u in ruil daarvoor dit aanneemt.' Ik reikte haar vijf gouden twintig francs-stukken aan. Ze viel bijna van haar stokje. 'Er zullen zo nu en dan mensen bij u aanbellen en naar mij vragen. U hoeft ze alleen maar te zeggen dat ik verhuisd ·

ben en ze naar dit adres te verwijzen.' Ik gaf haar een papiertje waar ik mijn nieuwe adres op had geschreven.

'Maar dat is te veel geld, monsieur Oswald!'

'Neem het aan,' zei ik terwijl ik de munten in haar hand drukte. 'Houd ze voor uzelf. Vertel het niet aan uw man. Maar het is heel belangrijk dat u iedereen die voor mij komt vertelt waar ik woon.'

Dat beloofde ze te doen, en ik reed weg naar mijn nieuwe verblijf.

6

Mijn zaken gingen goed. Mijn tien oorspronkelijke klanten hadden het grote nieuws allemaal hun eigen vrienden in het oor gefluisterd en die vrienden fluisterden het weer andere vrienden in het oor en in een maand was er een grote sneeuwbal aan het rollen gebracht. Ik besteedde iedere dag een halve dag aan het maken van pillen. Ik dankte God op mijn blote knietjes dat ik er om te beginnen al aan gedacht had zo'n grote hoeveelheid uit de Soedan mee te nemen. Maar ik moest de prijs laten zakken. Niet iedereen was ambassadeur of minister en ik merkte al gauw dat een heleboel mensen het zich gewoon niet konden veroorloven mijn absurde beginprijs van duizend francs per pil te betalen. Daarom maakte ik er tweehonderdvijftig van.

Het geld stroomde binnen.

Ik kocht goede kleren en stortte me in het sjieke uitgaansleven van Parijs.

Ik schafte een automobiel aan en leerde hem besturen. Het was het splinternieuwe model van De Dion-Bouton, de DK Sport, een schitterende kleine monobloc viercilinder met een drie-versnellingsbak en een handrem die je moest aantrekken. De topsnelheid lag bij, ongelogen, vijfenzeventig kilometer per uur en ik reed meer dan eens met het gas op de plank over de Champs Elysées.

Maar vooral rollebolde ik met de vrouwtjes zovaak ik daar zin in had. Parijs was in die dagen een uitzonderlijk kosmopolitische stad. Het was afgeladen met dames van grote kwaliteit uit alle delen van de wereld, en het was in die periode dat een opmerkelijke waarheid tot me begon door te dringen. We weten allemaal dat mensen uit verschillende landen verschillende nationale eigenschappen en verschillende temperamenten hebben. Wat nog niet zo duidelijk erkend wordt is het feit dat die verschillende nationale eigenschappen nog duidelijker worden tijdens geslachtelijke omgang als tegengesteld aan de gewone sociale omgang. Ik werd een expert op het gebied van nationale seksuele eigenschappen. Het was buitengewoon om te zien hoe de vrouwen van de een of andere natie zich geheel volgens de verwachtingen gedroegen. Je kon bijvoorbeeld een half dozijn Servische dames nemen (en denk niet dat ik dat niet gedaan heb) om te ontdekken, wanneer je er goed op lette, dat ze stuk voor stuk een aantal heel bepaalde uitzonderlijke eigenschappen, vaardigheden en voorkeuren gemeen hadden. Ook Poolse vrouwen waren, door bepaalde gewoontes die ze allemaal gemeen hadden, gemakkelijk herkenbaar. Evenals de Baskische, de Marokkaanse, de Noorse, de Hollandse, de Guatamalaanse, de Equadoriaanse, de Russische, de Chinese en alle andere. Aan het eind van mijn verblijf in Parijs had je me geblinddoekt op een sofa kunnen leggen met een dame uit willekeurig welk land, en ik zou in vijf minuten, zonder dat ze een woord geuit had, haar nationaliteit kunnen vertellen.

De volgende vraag ligt voor de hand. Uit welk land komen de opwindendste vrouwen?

Ik ben zelf nogal een liefhebber geworden van Bulgaarse dames van aristocratische komaf. Die hadden, onder andere, de meest ongebruikelijke tongen. Niet alleen waren die tongen van hen uitzonderlijk gespierd en gespannen, maar ze hadden een bepaalde ruwheid, een soort van rasperige eigenschap die je gewoonlijk alleen in kattetongen vindt. Laat een kat maar eens aan uw vinger likken en dan weet u precies wat ik bedoel.

Turkse dames (daar heb ik het geloof ik al eerder over gehad) stonden ook hoog op mijn lijstje. Die waren als een waterrad. Ze stopten nooit met draaien tot de rivier opdroogde. Maar je moest waarachtig wel in conditie zijn voor je met een Turkse dame in zee ging, en ik heb er persoonlijk nooit een over de vloer willen hebben voor ik een goed ontbijt genoten had.

Hawaïaanse vrouwen interesseerden me omdat ze voeten hadden waar ze mee konden grijpen en ze gebruikten, in vrijwel iedere situatie die je kan verzinnen, eerder hun voeten dan hun handen.

Wat de Chinese vrouwen betreft heb ik door ervaring moeten leren alleen om te gaan met die uit Peking en de aangrenzende provincie Sjantoeng. En zelfs dan was het nog noodzakelijk dat ze uit adellijke families waren. Het was in die dagen bij de adel van Peking en Sjantoeng de gewoonte om hun meisjes in de handen van wijze oude vrouwen te geven zodra ze de leeftijd van vijftien jaar bereikt hadden. Ze werden dan twee jaar lang onderworpen aan een strenge leergang die ontworpen was met als enige oogmerk – de kunst hun toekomstige echtgenoot lichamelijk genot te schenken. En aan het eind van de lessen werd, na een streng praktijkexamen, een certificaat uitgereikt dat aangaf 'geslaagd' of 'gezakt'. Als het meisje uitzonderlijk handig en inventief was kon ze wat genoemd werd een 'geslaagd met lof' krijgen en het hoogst van alles werd het 'diploma van verdienste' geprezen. Een jongedame met een diploma kon vrijwel zelf een man uitkiezen. Helaas werd op zijn minst de helft van de gediplomeerde meisjes onmiddellijk weggesnaaid naar het Keizerlijk Paleis.

Ik heb in Parijs slechts één Chinese mogen ontdekken die een diploma van verdienste bezat. Het was de vrouw van een opiummiljonair en ze was naar Parijs gekomen om een garderobe uit te kiezen. Ze koos mij erbij en ik moet toegeven dat het een ervaring was om nooit te vergeten. Ze had de praktijk van wat zij *tot-hier-en-niet-verder* noemde tot een sublieme kunst verheven. Er kwam eigenlijk aan niets een eind. Dat stond ze niet toe. Ze bracht je tot aan het randje. Ze heeft me tweehonderd keer tot aan het randje van de gouden drempel gebracht en ik voelde me drie en een half uur lang, dat was de duur van mijn lijden, alsof er een lange levende zenuw heel, heel langzaam en met uitgelezen geduld uit mijn brandende lichaam getrokken werd. Ik hing met mijn nagels aan de rand van de afgrond en schreeuwde om hulp of verlossing, maar de heerlijke marteling ging maar door. Het was een verbazingwekkende demonstratie van vakmanschap en ik ben het nooit vergeten.

Als ik wilde zou ik de merkwaardige vrouwelijke gewoonten van nog minstens vijftig andere nationaliteiten kunnen beschrijven, maar dat ga ik niet doen. In ieder geval niet hier, omdat ik nu echt verder moet gaan met het hoofdthema van dit verhaal, dat gaat over hoe ik rijk werd.

Tijdens mijn zevende maand in Parijs vond er een gelukkig voorval plaats dat mijn inkomen verdubbelde. Wat er gebeurde is het volgende. Op een middag was er een Russische dame in mijn appartement, die verre familie van de tsaar was. Het was een slanke, bleke, kleine vis, nogal koel en ongeïnteresseerd, ze was bijna kortaf, en ik moest haar tamelijk heftig opporren voor ik erin slaagde een goede dot stoom in haar ketels te krijgen. Zo'n blasé houding maakt me alleen maar vastberadener dan ooit en ik kan u beloven dat tegen de tijd dat ik met haar klaar was, ze aan alle kanten goed geroosterd was.

Toen het voorbij was lag ik op de bank en nipte aan een glas champagne om af te koelen. De Russische kleedde zich langzaam aan en liep intussen mijn kamer door terwijl ze alles zo'n beetje bekeek.

'Wat zijn al die rode pillen in deze pot?' vroeg ze me.

'Dat gaat je niets aan,' zei ik.

'Wanneer zal ik weer langskomen?'

'Nooit,' zei ik. 'Ik heb je gezegd wat mijn regels zijn.'

'Je bent helemaal niet aardig,' zei ze pruilend. 'Vertel me wat dit voor pillen zijn of ik word ook onaardig. Ik gooi ze allemaal het raam uit.' Ze pakte de fles waarin vijfhonderd van mijn kostbare cantharidekever-pillen zaten die ik net die morgen gemaakt had, en opende het raam.

'Niet doen,' zei ik.

'Vertel het me dan.'

'Het zijn stimulerende pillen voor mannen,' zei ik. 'Opkikkertjes, meer niet.'

'Waarom niet ook voor vrouwen?'

'Ze zijn alleen voor mannen.'

'Ik zal er eens een proberen,' zei ze terwijl ze het deksel losschroefde en er een pil uithaalde. Ze stak hem in haar mond en spoelde hem met een slok champagne weg. Toen ging ze verder met haar kleren aan te trekken.

Ze was volledig aangekleed en was net bezig voor de spiegel haar hoed goed te zetten toen ze plotseling verstijfde. Ze draaide zich om en keek me aan. Ik bleef liggen waar ik lag en nipte aan mijn glas, maar ik hield haar nauwkeurig en nu ook enigszins gespannen in de gaten.

Ze bleef misschien dertig seconden verstijfd naar me staren met een koude, harde, gevaarlijke blik. Toen bracht ze plotseling haar beide handen naar haar hals en scheurde met een beweging haar zijden japon van haar lichaam. Ze rukte haar ondergoed uit. Ze smeet haar hoed de kamer in. Ze dook ineen. Ze begon zich naar voren te bewegen. Ze kwam langzaam door de kamer op me af met de langzame vastberaden passen van een tijgerin die een antilope besluipt.

'Wat is er aan de hand?' zei ik. Maar ik wist nu heel goed wat er aan de hand was. Er waren negen minuten voorbij en de pil was gaan werken.

'Rustig aan,' zei ik.

Ze kwam dichterbij.

'Ga weg,' zei ik.

Ze kwam nog steeds dichterbij.

Toen sprong ze, en alles wat ik die eerste momenten kon zien was een vage wirwar van benen en armen en mond en handen en vingers. Ze werd stapelgek. Ze was wild van wellust. Ik streek de zeilen en bleef liggen om de storm af te rijden. Voor haar was dat niet voldoende. Ze begon me alle kanten op te gooien terwijl ze gromde en snoof. Dat vond ik niet leuk. Ik had er genoeg van. Dit moest ophouden, besloot ik. Maar het kostte nog ontzettend veel moeite om vat op haar te krijgen. Tenslotte slaagde ik erin haar polsen achter haar rug vast te houden en ik droeg haar terwijl ze schreeuwde en trapte de badkamer in en hield haar onder de koude douche. Ze probeerde me te bijten en ik gaf haar met mijn elleboog een uppercut onder haar kin. Ik hield haar op zijn minst twintig minuten onder die ijskoude douche terwijl zij de hele tijd doorging met in het Russisch te schreeuwen en te vloeken.

'Heb je genoeg gehad?' zei ik tenslotte. Ze was half verdronken en tamelijk koud.

'Ik wil jou!' brabbelde ze.

'Nee,' zei ik. 'Ik hou je hier tot je afgekoeld bent.'

Tenslotte gaf ze toe. Ik liet haar los. Arm kind, ze rilde verschrikkelijk en ze zag er niet uit. Ik pakte een handdoek en droogde haar goed af. Toen gaf ik haar een glas cognac.

'Het was die rode pil,' zei ze.

'Dat weet ik.'

'Ik wil er wat om mee naar huis te nemen.'

'Ze zijn te sterk voor dames,' zei ik. 'Ik zal er wat voor je maken die precies goed zijn.'

'Nu?'

'Nee. Als je morgen terugkomt zijn ze klaar.'

Omdat van haar japon niets over was, wikkelde ik haar in mijn overjas en reed haar naar huis in de De Dion. In feite had ze me een dienst bewezen. Ze had aangetoond dat mijn pil op vrouwen net zo goed werkte als op mannen. Waarschijnlijk beter. Ik begon onmiddellijk wat Damespillen te maken. Ik maakte ze half zo sterk als de Herenpillen, en ik maakte er honderd, in afwachting van een gewillige markt. Maar de markt was nog gewilliger dan ik verwacht had. Toen de Russische vrouw de volgende middag terugkwam vroeg ze er ter plekke vijfhonderd!

'Maar ze kosten elk tweehonderdvijftig francs.'

'Dat kan me niet schelen. Al mijn vriendinnen willen ze. Ik heb ze verteld wat me gisteren gebeurd is, en nu willen ze ze allemaal.'

'Ik kan u er honderd geven, meer niet. De rest later. Heeft u geld bij u?'

'Natuurlijk heb ik geld.'

'Mag ik u een idee aan de hand doen, madame?'

'En welk is dat?'

'Wanneer een dame alleen een van deze pillen neemt, vrees ik dat ze te agressief lijkt. Daar houden mannen niet van. Ik hield er gisteren niet van.'

'En wat is uw voorstel?'

'Ik stel voor dat een dame die van plan is een van deze pillen te nemen haar partner ervan overtuigd er ook een te nemen. En op precies hetzelfde moment. Dan staan ze precies gelijk.'

'Dat lijkt me heel zinnig,' zei ze.

Het was niet alleen zinnig, het zou ook de verkoop verdubbelen.

'De partner,' zei ik, 'zou de grote pil kunnen nemen. Die heet de Herenpil. Dat is gewoon omdat mannen groter zijn dan vrouwen en een grotere dosis nodig hebben.'

'Altijd uitgaande van de veronderstelling dat de partner een man is.'

'Wat u maar wilt,' zei ik.

Ze haalde haar schouders op en zei: 'Uitstekend, geef me dan ook maar honderd van die Herenpillen.'

Goh, dacht ik, vannacht zal er in de boudoirs van Parijs wat afgehost worden. Het was allemaal al hitsig genoeg als de man alleen opgepept werd, maar ik beefde bij de gedachte wat er ging gebeuren als beide partijen het medicijn innamen.

Het was een inslaand succes. De verkoop verdubbelde. Verdrievoudigde. Tegen de tijd dat mijn twaalf maanden in Parijs om waren had ik ongeveer twee miljoen francs op de bank staan! Dat was honderdduizend pond. Ik was nu bijna achttien. Ik was rijk. Maar ik was nog niet rijk genoeg. Mijn jaar in Frankrijk had me heel duidelijk de weg laten zien die ik in mijn leven wilde volgen. Ik was een sybariet. Ik wilde een leven van luxe en luieren leiden. Ik zou me nooit vervelen. Dat was niet mijn stijl. Maar ik zou nooit helemaal bevredigd zijn tenzij die luxe door en door luxueus was en het luieren onbeperkt. Daarvoor was honderdduizend pond niet voldoende. Ik had meer nodig. Ik had op zijn minst een miljoen pond nodig. Ik was er zeker van dat ik een manier zou kunnen vinden om het te verdienen. En ik had intussen geen gek begin gemaakt.

Ik was verstandig genoeg om me te realiseren dat ik allereerst mijn scholing moest voortzetten. Scholing is alles. Ik gruw van ongeschoolde mensen. En zo liet ik in de zomer van 1913 mijn geld naar een Engelse bank overboeken en keerde terug naar mijn vaderland. In september ging ik naar Cambridge om mijn propaedeutische studies te beginnen. Zoals u zich zult herinneren had ik een beurs voor Trinity College, en in die hoedanigheid had ik een aantal voorrechten en werd ik door de leiding met alle egards behandeld.

Het was hier, in Cambridge, dat het tweede en laatste stadium van mijn rijkworden een aanvang nam. Heb nog even geduld en u zult er op de komende bladzijden alles over te horen krijgen.

7

Mijn scheikunde-mentor op Cambridge heette A.R.Woresley. Hij was een kleine man van middelbare leeftijd met een buikje, slordig gekleed en met een grijze snor waarvan de punten oker-geel gekleurd waren door de nicotine van zijn pijp. Om te zien dus een typisch universitair hoofd. Maar het viel mij op dat hij uitzonderlijk slim was. Zijn colleges waren nooit routineus. Zijn geest dwaalde steeds weer af op zoek naar het ongewone. Hij vertelde ons een keer: 'En we hebben nu als het ware een tompion nodig om de inhoud van deze fles tegen het indringen van bacteriën te beschermen. Ik neem aan dat je weet wat een tompion is, Cornelius?'

'Ik zou het niet weten, meneer,' zei ik.

'Kan iemand mij een definitie geven van dit gewone zelfstan-dige naamwoord?' zei A.R.Woresley.

Dat kon niemand.

'Dan moeten jullie dat maar eens nakijken,' zei hij. 'Het hoort niet tot mijn taak om jullie je taal te leren.'

'Ach, alstublieft meneer,' zei iemand. 'Vertel ons wat het be-tekent.'

'Een tompion,' zei A.R.Woresley, 'is een klein propje ge-maakt van modder en speeksel dat een beer in zijn anus stopt voor hij zijn winterslaap begint, om te voorkomen dat de mie-ren binnenkomen.'

Een vreemde knaap, die A.R.Woresley, een mengsel van ver-schillende houdingen, soms grappig, vaker gezwollen en ern-stig, maar erachter stak een merkwaardig complexe geest. Ik begon na die kleine tompion-episode erg op hem gesteld te ra-ken. We kregen een heel plezierige leerling-mentor relatie. Ik werd uitgenodigd om bij hem thuis sherry te komen drinken. Hij was vrijgezel. Hij woonde samen met zijn zuster die – hoe verzin je het – Emmaline heette. Het was een duf propje en haar tanden leken op groen uitgeslagen koper. Ze had een soort snijkamer in huis waar ze iets met de voeten van mensen deed. Een pedicure noemde ze zichzelf geloof ik.

Toen brak de wereldoorlog uit. Het was 1914 en ik was negentien jaar oud. Ik ging in het leger. Ik moest wel, en de volgende vier jaren besteedde ik al mijn energie om te proberen te overleven. Ik ga nu niet over mijn oorlogservaringen praten. Loopgraven, modder, verminking en dood horen niet in deze memoires thuis. Ik heb mijn best gedaan. Ik deed het ook helemaal niet zo slecht, en in november 1918 toen het allemaal afgelopen was, was ik een drieëntwintigjarige kapitein van de infanterie met een Military Cross. Ik had het overleefd.

Ik ging onmiddellijk naar Cambridge terug om mijn studie weer op te vatten. Dat mochten de overlevenden doen, hoewel er niet veel van ons waren. A.R.Woresley had het ook overleefd. Hij was in Cambridge gebleven om het een of andere militair-wetenschappelijk werk te doen en hij had een tamelijk rustige oorlog gehad. Hij had nu zijn oude baan terug en gaf weer scheikunde aan eerstejaars studenten en we waren blij elkaar weer te zien. We pakten de draad van onze vriendschap weer op waar we hem vier jaar eerder hadden laten liggen.

Op een februari-avond in 1919, midden in de vastentijd, nodigde A.R.Woresley me uit het avondeten bij hem te komen gebruiken. De maaltijd was niet goed. Het eten was goedkoop, de wijn was goedkoop en de pedicurende zuster met de kopergroene tanden was er ook. Ik had verwacht dat ze in een wat betere stijl zouden leven dan ze in werkelijkheid deden, maar toen ik dit tere onderwerp heel voorzichtig bij mijn gastheer te berde bracht vertelde hij me dat ze zich nog steeds moesten afbeulen om de hypotheek op het huis te betalen. Na het diner trokken A.R.Woresley en ik ons terug in zijn studeerkamer om een goede fles port te drinken die ik als een presentje voor hem had meegebracht. Als ik het me goed herinner was het een Croft uit 1890.

'Zoiets proef ik niet vaak,' zei hij. Hij zat volkomen op zijn gemak in een oude fauteuil met de brand in zijn pijp en een glas port in zijn hand. Wat was het toch een door en door keurige man, dacht ik. En wat leidt hij een verschrikkelijk vervelend leven.

Ik besloot hem wat op te vrolijken door hem over mijn tijd in Parijs, zes jaar eerder in 1913, te vertellen, toen ik honderdduizend pond verdiend had met cantharidekever-pillen. Ik begon bij het begin. Het plezier van het vertellen kreeg me algauw in de ban. Ik herinnerde me alles, maar uit eerbied voor mijn mentor liet ik er de meest wellustige details uit weg. Het verhaal kostte me bijna een uur.

A.R.Woresley raakte door de hele escapade in vervoering. 'Goeie God, Cornelius!' riep hij uit. 'Jij hebt lef, zeg! Wat een lef! En nu ben je een ontzettend rijke jongeman!'

'Niet rijk genoeg,' zei ik. 'Ik wil een miljoen pond verdienen voor mijn dertigste.'

'En volgens mij zal dat je nog lukken ook,' zei hij. 'Dat zal je nog lukken ook. Je hebt flair voor het buitenissige. Je hebt een neus voor de succesvolle stunt. Je hebt de moed om snel te handelen. En, wat het belangrijkste is, je hebt totaal geen scrupules. Met andere woorden: je beschikt over alle kwaliteiten voor de nouveau riche miljonair.'

'Bedankt,' zei ik.

'Ja, maar hoeveel jongens van zeventien zouden in hun eentje helemaal naar Khartoem gegaan zijn op zoek naar een poeder dat misschien niet eens bestond? Je zou ze met een lantarentje moeten zoeken.'

'Ik was niet van plan een dergelijke kans te laten schieten,' zei ik.

'Je bent een slimme duivel, Cornelius. Een slimme duivel. Ik ben een beetje jaloers op je.'

Zo zaten we onze port te drinken. Ik genoot van een kleine havanna. Ik had er een aan mijn gastheer aangeboden, maar hij gaf de voorkeur aan zijn stinkende pijp. Die pijp braakte meer rook uit dan enig andere pijp die ik ooit gezien had. Hij was als een miniatuur oorlogsbodem die een rookgordijn voor zijn gezicht legde. En achter dat rookgordijn zat A.R.Woresley na te denken over mijn Parijse verhaal. Hij bleef dingen mompelen en grommen en snuiven als: 'Verbazingwekkende onderneming...! Wat een lef...! Wat een toestand...! Knappe scheikunde ook, die pillendraaierij.'

Toen was het stil. De rook golfde rond zijn hoofd. Het glas

port verdween door het rookgordijn als hij het naar zijn lippen bracht. Daarna verscheen het weer, leeg. Ik had genoeg gepraat, dus ik hield mijn mond.

'Nou, Cornelius,' zei A.R.Woresley tenslotte, 'je hebt me net in vertrouwen genomen. Misschien kan ik jou dan beter ook het mijne geven.'

Hij pauzeerde. Ik wachtte. Wat zullen we nu krijgen, vroeg ik me af.

'Je moet weten,' zei hij, 'dat ik zelf de laatste jaren ook een beetje mijn slag geslagen heb.'

'Meent u dat?'

'Ik zal, als ik er de tijd voor heb, wel een artikel over schrijven. En het zou misschien nog wel succes hebben ook wanneer ik het ergens gepubliceerd zou krijgen.'

'Scheikundig?' vroeg ik.

'Een beetje scheikunde, en een heleboel biochemie. Het is een mengsel.'

'Ik zou er graag wat over willen horen.'

'Heus?' Hij brandde van verlangen om het te vertellen.

'Natuurlijk.' Ik schonk hem nog een glas port in. 'U heeft genoeg tijd,' zei ik, 'want we gaan vanavond deze hele fles soldaat maken.'

'Goed dan,' zei hij. En daarna begon hij zijn verhaal.

'Precies veertien jaar geleden,' zei hij, 'in de winter van 1905, zag ik dat een goudvis ingevroren zat in de vijver van mijn tuintje. Negen dagen later viel de dooi in. Het ijs smolt en de goudvis zwom weg, zonder er kennelijk iets aan overgehouden te hebben. Dat gaf me te denken. Een vis is koudbloedig. Welke andere vormen van koudbloedig leven zouden bij lage temperaturen bewaard kunnen worden? Nogal wat, dacht ik zo. En op die basis begon ik te speculeren over het bewaren van *bloedloos* leven bij lage temperaturen. Met bloedloos bedoel ik bacteriën en zo. En toen zei ik bij mezelf: "Wie wil er nou bacteriën bewaren? Ik in ieder geval niet." En toen stelde ik mezelf een andere vraag. "Welk levend organisme zou je, meer dan enig ander, over een lange tijdsperiode bewaard willen zien?" En het antwoord daarop luidde: spermatozoïden!'

'Waarom spermatozoïden?' vroeg ik.

'Ik weet niet helemaal zeker waarom,' zei hij, 'vooral omdat ik een chemicus ben, geen bioloog. Maar ik had het gevoel dat het op de een of andere manier een waardevolle bijdrage zou zijn. En daarom begon ik mijn experimenten.'

'Waarmee?' vroeg ik.

'Met sperma, natuurlijk. Levend sperma.'

'Van wie?'

'Mijn eigen.'

In de korte stilte die hierop volgde voelde ik me enigszins in verlegenheid. Iedere keer dat iemand me iets vertelt dat hij gedaan heeft kan ik mezelf er niet van weerhouden me een levend beeld van het gebeurde voor te stellen. Het is maar in een flits, maar het gebeurt altijd en het gebeurde nu ook. Ik zag die sjofele oude A.R.Woresley in zijn lab terwijl hij bezig was te doen wat hij voor zijn experimenten doen moest, en ik voelde me gegeneerd.

'In het belang van de wetenschap is alles geoorloofd,' zei hij toen hij merkte dat ik me niet op mijn gemak voelde.

'Oh, daar ben ik het volkomen mee eens. Volkomen.'

'Ik werkte alleen,' zei hij, 'en meestal laat in de avond. Niemand wist wat ik uitvoerde.'

Zijn gezicht verdween weer achter zijn rookgordijn en dreef toen weer binnen oogbereik.

'Ik zal maar zwijgen over de honderden mislukte experimenten die ik uitgevoerd heb,' zei hij. 'Maar ik zal het wel over de geslaagde hebben. Ik denk zo dat ze je wel zullen interesseren. Het eerste belangrijke feit dat ik bijvoorbeeld ontdekte, was dat er uitzonderlijk lage temperaturen nodig waren om spermatozoïden überhaupt in leven te houden. Ik bleef het semen bij steeds lagere temperaturen invriezen en iedere keer dat ik de temperatuur verlaagde werd de levensduur langer. Door vast koolzuur te gebruiken was ik in staat mijn semen tot min 97° C te bevriezen. Maar zelfs dat was nog niet voldoende. Bij min zevenennegentig leefde het sperma ongeveer een maand, niet langer. Ik moet nog lager gaan, dacht ik bij mijzelf. Maar hoe kon ik dat doen? Toen stootte ik op een manier om het spul helemaal tot min 197° C te bevriezen.'

'Onmogelijk,' zei ik.

'Wat denk je dat ik gebruikte?'

'Geen flauw idee.'

'Ik gebruikte vloeibare stikstof. Daarmee lukte het.'

'Maar vloeibare stikstof is ontzettend vluchtig,' zei ik. 'Hoe kon u ervoor zorgen dat het niet verdampte? Waar bewaarde u het in?'

'Ik ontwierp speciale containers,' zei hij. 'Heel sterke en nog-al ingewikkelde thermosflessen. Daarin bleef het stikstof praktisch voorgoed vloeibaar bij min een-negen-zeven graden. Ik moest het alleen zo nu en dan een beetje bijvullen, maar daar bleef het bij.'

'Vast niet voorgoed.'

'Oh jawel,' zei hij. 'Je vergeet dat stikstof een gas is. Als je een gas vloeibaar maakt blijft het eeuwig vloeibaar als je er maar voor zorgt dat het niet verdampt. En dat doe je door ervoor te zorgen dat de fles hermetisch gesloten en goed geïsoleerd is.'

'Ik snap het. En bleef het sperma leven?'

'Ja en nee,' zei hij. 'Het bleef lang genoeg in leven om me te vertellen dat ik de juiste temperatuur had. Maar ze bleven niet onbeperkt in leven. Er was nog steeds iets verkeerd. Daar dacht ik over na en tenslotte besloot ik dat het sperma een soort buffer nodig had, een winterjasje zo je wilt, om ze tegen de intense koude te beschermen. En nadat ik met ongeveer tachtig verschillende substanties geëxperimenteerd had, stuitte ik uiteindelijk op de ideale.'

'Wat was dat?'

'Glycerol.'

'Gewone glycerol?'

'Ja. Maar zelfs dat werkte in het begin niet. Het werkte niet goed tot ik ontdekte dat het koelproces heel geleidelijk gedaan moest worden. Spermatozoïden zijn heel tere kleine baasjes. Ze houden niet van schokken. Je bezorgt ze ongemak als je ze in een keer aan min een-negen-zeven graden onderwerpt.'

'Dus toen heeft u ze geleidelijk afgekoeld.'

'Pecies. Je moet als volgt te werk gaan. Je vermengt het sperma met de glycerol en stopt het in een klein rubber vat. Een reageerbuisje gaat niet. Dat zou bij lage temperaturen barsten.

Overigens moet je dat allemaal meteen doen zodra je het sperma hebt opgevangen. Je moet opschieten. Je kan niet treuzelen, anders gaat het dood. Eerst leg je dus je kostbare voorraadje op gewoon ijs om het tot het vriespunt te laten afkoelen. Daarna hang je het in de stikstofdamp om het dieper te bevriezen. Tenslotte stop je het in het koudste van alles, vloeibare stikstof. Het is een stap-voor-stap proces. Je moet het sperma geleidelijk aan de koude laten wennen.'

'En werkt het?'

'Oh, het werkt prima. Ik ben er tamelijk zeker van dat sperma dat met glycerol beschermd wordt en dan langzaam wordt ingevroren bij min een-negen-zeven net zo lang in leven blijft als je wilt.'

'Honderd jaar lang?'

'Absoluut, op voorwaarde dat je het op min een-negen-zeven graden houdt.'

'En je zou het na die tijd kunnen laten ontdooien en dan zou het een vrouw kunnen bevruchten?'

'Ik ben ervan overtuigd. Maar toen ik zo ver was begon ik mijn belangstelling voor het menselijke aspect te verliezen. Ik wilde nog verder gaan. Ik moest nog heel wat experimenten uitvoeren. Maar je kan niet met mannen en vrouwen experimenteren, tenminste niet op de manier als ik van plan was.'

'Hoe wilde u dan experimenteren?'

'Ik wilde uitzoeken hoeveel sperma bij een enkele ejaculatie verloren ging.'

'Dat kan ik niet volgen. Wat bedoelt u met verloren gaan van sperma?'

'De gemiddelde ejaculatie van een groot beest zoals een stier of een paard brengt gemiddeld vijf cc semen op. Ieder cc bevat een miljard afzonderlijke spermatozoïden. Dat betekent bij elkaar vijf miljard zaadcellen.'

'Niet vijf *miljard*! Niet in een keer!'

'Je hebt het goed gehoord.'

'Dat is ongelooflijk.'

'Het is waar.'

'Hoeveel brengt een mens voort?'

'Ongeveer de helft. Ongeveer twee cc en twee miljard.'

'Wilt u me vertellen,' zei ik, 'dat ik iedere keer dat ik een jongedame diverteer ik twee miljard spermatozoïden in haar spuit?'

'Precies.'

'Allemaal kronkelend en krioelend en rondtollend?'

'Natuurlijk.'

'Geen wonder dat ze daar vol van zijn,' zei ik.

A.R.Woresley was niet in dat aspect geïnteresseerd. 'De kwestie is deze,' zei hij. 'Een stier heeft bijvoorbeeld beslist *geen* vijf miljard spermatozoïden nodig om een koe te bevruchten. Uiteindelijk heeft hij er maar één nodig. Maar om er zeker van te zijn dat hij het doel raakt moet hij er op zijn minst een paar miljoen gebruiken. Maar hoeveel miljoen? Dat was mijn volgende vraag.'

'Waarom?' vroeg ik.

'Omdat, mijn goede vriend, ik wilde uitzoeken hoeveel vrouwtjes, of het nu koeien, merries, vrouwen of wat ook zijn, er op zijn hoogst door een ejaculatie bevrucht kunnen worden. Daarbij nam ik natuurlijk aan dat al die miljoenen spermatozoïden tussen hen verdeeld konden worden. Begrijp je waar ik naartoe wil?'

'Uitstekend. Wat voor dieren heeft u voor die experimenten gebruikt?'

'Stieren en koeien,' zei A.R.Woresley. 'Ik heb een broer die een kleine zuivelboerderij heeft bij Steeple Bumpstead, niet ver hiervandaan. Hij had een stier en ongeveer tachtig koeien. We zijn altijd goede vrienden geweest, mijn broer en ik. Daarom had ik vertrouwen in hem en hij stemde erin toe dat ik zijn beesten zou gebruiken. Ik ging ze tenslotte geen kwaad doen. Misschien bewees ik hem wel een dienst.'

'Hoe kon u hem een dienst bewijzen?'

'Mijn broer heeft het nooit breed gehad. Zijn eigen stier, de enige die hij zich kon veroorloven, was van een matige kwaliteit. Hij had niets liever gewild dan dat zijn hele kudde kalveren zou krijgen van een schitterende kampioensstier uit een stam met een grote melkproduktie.'

'Bedoelt u iemand anders stier?'

'Ja, inderdaad.'

'Hoe zou u het aanleggen om het semen van de kostbare kampioensstier van iemand anders te pakken te krijgen?'

'Ik zou het stelen.'

'Aha.'

'Ik zou een ejaculatie stelen en daarna zou ik, vooropgesteld natuurlijk dat ik succes had met mijn experimenten, die ene ejaculatie verdelen over alle tachtig koeien van mijn broer.'

'Hoe wou u dat dan aanleggen?'

'Door wat ik een hypodermische inseminatie noem. Door het sperma met een spuit bij de koe in te brengen.'

'Ik neem aan dat dat mogelijk is.'

'Natuurlijk is dat mogelijk,' zei hij. 'Het mannelijke orgaan is zelf tenslotte eigenlijk niets anders dan een spuit om semen te injecteren.'

'Kalm aan, hé!' zei ik. 'De mijne is nog wel iets meer.'

'Daar twijfel ik niet aan, Cornelius, daar twijfel ik niet aan,' antwoordde hij droogjes. 'Maar laten we niet afdwalen.'

'Sorry.'

'Toen begon ik dus te experimenteren met stierezaad.'

Ik nam de fles port en schonk hem nog eens in. Ik had nu het gevoel dat die oude Woresley op iets heel interessants gestuit was en ik wilde dat hij doorging.

'Ik heb je al verteld,' zei hij, 'dat de gemiddelde stier iedere keer ongeveer vijf cc voortbrengt. Dat is niet veel. Zelfs vermengd met de glycerol zou er niet voldoende zijn om het in een heleboel porties in een koe te kunnen injecteren. Ik moest dus een verdunner vinden, iets om het volume te vermeerderen.'

'Kon u dan niet gewoon meer glycerol toevoegen?'

'Dat heb ik geprobeerd. Dat werkte niet. Het werd veel te kleverig. Ik zal je niet vervelen met een lijst van alle vreemde substanties waar ik mee geëxperimenteerd heb. Ik zal je maar vertellen welke werkte. Magere melk werkt. Tachtig procent magere melk, tien procent eierdooier en tien procent glycerol. Dat is het magische mengsel. De spermatozoïden zijn er gek op. Je mengt die hele cocktail gewoon goed door elkaar en zoals je begrijpen zult had ik daarmee een volume waar ik mee kon werken. Zo werkte ik een aantal jaren met mijn broers koeien en tenslotte kwam ik achter de optimale dosis.'

'En wat was die?'

'De optimale dosis bestond uit niet meer dan twintig miljoen spermatozoïden per koe. Als ik dat op het juiste moment een koe inspoot, kwam ik tot tachtig procent drachtige koeien. En je moet niet vergeten, Cornelius,' ging hij opgewonden verder, 'dat iedere ejaculatie van een stier vijf miljard spermatozoïden bevat. In porties van twintig miljoen onderverdeeld heb je dan tweehonderdvijftig doses! Het was verbazend! Ik stond paf!'

'Betekent dat,' zei ik, 'dat ik met niet meer dan één van mijn ejaculaties tweehonderdvijftig vrouwen zwanger kan maken?'

'Je bent geen stier, Cornelius, al denk je dat zelf misschien wel.'

'Voor hoeveel vrouwen is een van mijn ejaculaties voldoende?'

'Ongeveer honderd. Maar daar ga ik je niet mee helpen.'

Mijn God, dacht ik, op die manier kan ik in een week ongeveer zevenhonderd vrouwen vol maken! 'Heeft u dat in de praktijk geprobeerd met uw broers stier?' vroeg ik.

'Vele malen,' zei A.R.Woresley. 'Het werkt. Ik vang een ejaculatie op, dan meng ik het snel met magere melk, eierdooier en glycerol en daarna verdeel ik het in aparte doses voor ik het invries.'

'Wat voor volume heeft iedere dosis?' vroeg ik.

'Heel weinig. Net een halve cc.'

'Is dat alles wat je de koe inspuit, niet meer dan een halve cc?'

'Dat is alles. Maar vergeet niet dat er twintig miljoen levende spermatozoïden in die halve cc zitten.'

'O ja.'

'Die kleine doses doe ik elk afzonderlijk in een klein rubber buisje,' zei hij. 'Ik noem het rietjes. Ik sluit ze aan beide einden af en dan bevries ik ze. Stel je eens voor, Cornelius! Tweehonderdvijftig uiterst krachtige strootjes met spermatozoïden uit een enkele ejaculatie!'

'Ik stel het me voor,' zei ik. 'Het is een mirakels wonder.'

'En ik kan ze net zolang bewaren als ik wil, diepgevroren. Het enige dat ik moet doen als een koe tochtig geworden is, is een van de rietjes uit de fles vloeibare stikstof halen, het laten ontdooien, wat nog geen minuut kost, de inhoud in een spuit stoppen en het de koe inspuiten.'

De fles port was nu voor driekwart leeg en A.R.Woresley werd een beetje aangeschoten. Ik vulde zijn glas weer.

'Hoe zat dat met die kampioensstier waar u het over had?' vroeg ik.

'Daar kom ik zo op, mijn jongen. Dat is nou de goeie kant aan de zaak. Dat is de winst.'

'Vertel op.'

'Natuurlijk zal ik het je vertellen. Ik zei tegen mijn broer... dat was drie jaar geleden, net midden in de oorlog... mijn broer was vrijgesteld van militaire dienst moet je weten, want hij was boer... ik zei dus tegen Ernest, "Ernest," zei ik, "als je om je hele kudde te dekken de keuze mocht doen uit alle stieren van Engeland, welke zou je dan kiezen?"

"Van heel Engeland weet ik het niet," zei Ernest, "maar de beste koe in deze omgeving is Champion Glory of Friesland, van lord Somerton. Het is een stamboek Fries, en die Friezen zijn de beste melkgevers ter wereld. Mijn God, Arthur," zei hij, "je zou die stier eens moeten zien! Het is een reus! Hij kost tienduizend pond en ieder kalf dat hij voortbrengt blijkt een fantastische melkproduktie te hebben!"

"Waar wordt die stier gehouden?' vroeg ik mijn broer.

"Op lord Somertons landgoed. Dat is bij Birdbrook."

"Birdbrook? Dat is vlakbij, nietwaar?"

"Drie mijl," zei mijn broer. "Ze hebben ongeveer tweehonderd stamboek Fries melkvee en de stier loopt met de kudde mee. Hij is schitterend, Arthur, werkelijk schitterend."

"Oké," zei ik. "In de komende twaalf maanden krijgt tachtig procent van jouw koeien een kalf van die stier. Zou je dat willen?"

"Zou ik dat willen?" zei mijn broer. "Het zou mijn melkopbrengst verdubbelen." Cornelius, zou ik je lastig mogen vallen voor een laatste glas van die voortreffelijke port?'

Ik gaf hem wat er over was. Ik gaf hem zelfs het bezinksel op de bodem van de fles. 'Vertel me nu wat u gedaan hebt,' zei ik.

'We wachtten tot een van mijn broers koeien goed tochtig was. En toen, midden in de nacht... daar was moed voor nodig, Cornelius. Daar was een heleboel moed voor nodig...'

'Dat neem ik zonder meer aan.'

'Midden in de nacht deed Ernest de koe een halster om en bracht haar over landweggetjes naar lord Somertons landgoed, drie mijl verderop.'

'Ging u niet mee?'

'Ik fietste ernaast.'

'Waarom op de fiets?'

'Dat zal je zometeen wel begrijpen. Het was mei, lekker warm, en het was een uur of een in de morgen. Er stond een klein maantje waardoor het nog gevaarlijker werd, maar we hadden wel wat licht nodig bij wat we gingen doen. De reis kostte ongeveer een uur.

"We zijn er," zei mijn broer. "Daar. Kan je ze zien?"

We stonden bij een hek waar een weide van zo'n acht hectare achter lag, en in het maanlicht kon ik een grote kudde Friezen over het hele veld zien grazen. Aan een kant stond het huis zelf, Somerton Hall. Achter een van de ramen op de bovenverdieping scheen licht. "Waar is de stier?" vroeg ik.

"Hij moet hier ergens zijn," zei mijn broer. "Hij zit bij de kudde."

Onze koe,' zei A.R.Woresley, 'loeide als een gek. Dat doen ze altijd als ze tochtig zijn. Ze roepen de stier, snap je. Het hek was met een ketting en een hangslot afgesloten, maar daar had mijn broer op gerekend. Hij haalde een ijzerzaag te voorschijn en zaagde de ketting door. Hij deed het hek open. Ik zette mijn fiets tegen het hek en we liepen de weide in, met de koe. Het veld lag melkachtig wit in het maanlicht. Onze koe, die merkte dat er andere dieren waren, begon harder te loeien dan ooit.'

'Was u bang?' vroeg ik.

'Doodsbang,' zei A.R.Woresley. 'Ik ben een bezadigd man, Cornelius. Ik leid een rustig leven. Ik ben niet voor dergelijke escapades in de wieg gelegd. Ik verwachtte ieder moment de rentmeester van His Lordship op ons af te zien rennen met een geweer in de hand. Maar ik dwong mezelf door te zetten, want wat we deden was in naam van de wetenschap. Bovendien was ik het aan mijn broer verplicht. Hij had me reusachtig geholpen. Nu moest ik hem helpen.'

Zijn pijp was uitgegaan. A.R.Woresley begon hem uit een blik goedkope tabak opnieuw te vullen.

'Vertel verder,' zei ik.

'De stier moet gehoord hebben dat de koe om hem loeide. "Daar is hij," schreeuwde mijn broer. "Daar komt ie aan!"

Een massief zwart en wit schepsel had zich van de kudde losgemaakt en draafde onze kant uit. Hij had een paar korte scherpe horens op zijn kop. Ze zagen er dodelijk uit. "Maak je klaar!" zei mijn broer kortaf. "Hij wacht niet! Hij gaat recht op haar af! Geef me de rubber zak! Snel!" '

'Wat voor rubber zak?' vroeg ik Woresley.

'De semen collector, beste jongen. Mijn eigen uitvinding, een lange zak met een dikke rubber rand, een soort van valse vagina. En heel effectief. Maar laat ik verder vertellen.'

'Ja, vertel verder,' zei ik.

' "Waar is de rubber zak?" riep mijn broer. "Schiet op, kerel!" Ik droeg het ding in een knapzak. Ik haalde hem eruit en gaf hem aan mijn broer. Hij ging in positie staan bij het achtereind van de koe aan de ene kant. Ik ging aan de andere kant staan, klaar om mijn deel te doen. Ik was zo bang, Cornelius, ik zweette overal en moest de hele tijd pissen. Ik was bang voor de stier en ik was bang voor dat licht in het raam van Somerton Hall achter me, maar ik hield stand.

De stier kwam er aandraven, snuivend en kwijlend. Ik kon een koperen ring in zijn neus zien en, mijn hemel, Cornelius, wat was het een gevaarlijk uitziende woesteling. Hij aarzelde niet. Hij kende zijn zaakjes. Hij rook eventjes aan onze koe en daarna ging hij op zijn achterpoten staan en gooide zijn voorpoten over de rug van de koe. Ik bukte naast hem. Zijn bullepees kwam er al uit. Hij had een reusachtig scrotum en daar vlak boven werd die ongelooflijke bullepees steeds langer en langer. Hij leek wel een telescoop. Hij begon tamelijk klein en werd heel snel langer en langer tot hij net zo lang was als mijn arm. Maar niet zo dik. Ongeveer even dik als een wandelstok zou ik zeggen. Ik deed er een greep naar, maar in mijn opwinding miste ik hem. "Snel," zei mijn broer. "Waar is ie? Pak hem gauw!" Maar het was te laat. De oude stier kon uitstekend mikken. Hij raakte zijn doel de eerste keer en het uiteinde van zijn bullepees zat er al in. Hij zat er al halverwege in. "Pak hem!" schreeuwde mijn broer. Ik greep er opnieuw naar. Er was nog een tamelijk lang stuk te zien. Ik pakte het met beide handen beet en trok. Het leefde en klopte en was nogal glibberig. Het was alsof je aan een slang trok. De stier stampte hem naar binnen en ik trok hem naar buiten. Ik trok zo hard dat ik hem voelde buigen. Maar ik hield mijn hoofd helder en begon als de koe terugtrok met hem mee te trekken. Snap je wat ik bedoel? Eerst stoot hij naar voren en daarna moet hij zijn rug krommen voor hij weer naar voren gaat. Iedere keer dat hij zijn rug kromde gaf ik een ruk en won een paar centimeter. Dan stootte de stier weer naar voren en ging hij weer naar binnen. Maar ik won steeds meer terrein en tenslotte slaagde ik erin, met beide handen, hem bijna dubbel te buigen en naar buiten te klappen. Het uiteinde sloeg me in mijn gezicht. Dat deed pijn. Maar ik propte hem snel in de zak die mijn broer voorhield. De stier pompte nog steeds door. Hij ging helemaal in zijn werk op. Godzijdank. Hij leek zich zelfs niet bewust te zijn van onze aanwezigheid. Maar de bullepees was nu in de zak en mijn broer hield hem vast en in minder dan een minuut was het allemaal voorbij. De stier gleed achterwaarts van de koe af. En toen zag hij ons plotseling. Hij staarde ons aan. Hij leek een beetje in de war en dat was niet zo gek. Hij loeide hard en klauwde met zijn voorpoten in de grond. Hij begon aan te vallen. Maar mijn broer, die alles van stieren wist, liep recht op hem af en sloeg hem op zijn neus. "Scheer je weg!" riep hij. De stier draaide zich om en kuierde terug naar de kudde. Wij renden snel het hek door en sloten het achter ons. Ik nam de rubber zak van mijn broer over en sprong op mijn fiets en reed als de bliksem naar de boerderij terug. Ik haalde het in een kwartier.

Op de boerderij had ik alles klaarstaan. Ik schepte het semen van de stier uit de zak en mengde het met mijn speciale oplossing van melk, eierdooier en glycerol. Ik vulde tweehonderdvijftig van mijn kleine rubber rietjes met elk een halve cc. Dat was niet zo moeilijk als het lijkt. Ik heb de strootjes altijd naast elkaar in een ijzeren rekje staan en ik gebruik een druppelaar. Ik zette het rek met de stootjes een half uur op ijs. Daarna zette ik het tien minuten in stikstofdamp. Tenslotte liet ik het in een tweede thermosvat met vloeibare stikstof zakken. Het hele proces was achter de rug toen mijn broer met de koe terugkwam. Ik had nu genoeg zaad van een Friese kampioensstier om tenminste tweehonderdvijftig koeien te bevruchten. Dat hoopte ik tenminste.'

'Werkte het?' vroeg ik.

'Het werkte fantastisch,' zei A.R.Woresley. 'Het volgende jaar begon mijn broers Hereford-kudde kalveren voort te brengen die half Fries waren. Ik had hem geleerd hoe hij zelf de hypodermische inseminatie kon verrichten, en ik liet het vat met de bevroren "rietjes" bij hem op de boerderij achter. Op het moment, mijn beste Cornelius, drie jaar later, is bijna iedere koe in zijn kudde een kruising tussen een Hereford en een Friese Kampioen. Zijn melkproduktie is met ongeveer zestig procent omhooggegaan en hij heeft zijn stier verkocht. Het enige probleem is dat zijn rietjes opraken. Hij wil dat ik nog een keer zo'n gevaarlijke tocht maak naar lord Somertons stier. Maar om helemaal eerlijk te zijn, ik ben er bang voor.'

'Ik ga wel,' zei ik. 'Ik ga wel in uw plaats.'

'Jij zou niet weten wat je zou moeten doen.'

'Gewoon die bullepees grijpen en in de zak mikken,' zei ik. 'U kunt dan op de boerderij wachten en alles kant en klaar houden om het semen in te vriezen.'

'Kan je met een fiets overweg?'

'Ik ga met mijn auto,' zei ik. 'Dat is twee keer zo snel.'

Ik had net een splinternieuwe Continental Morris Cowley gekocht, een machine die in alle opzichten superieur was aan de De Dion uit 1912 uit mijn Parijse tijd. De carrosserie was chocoladebruin. Hij had een leren bekleding. Het beslag was van nikkel en de betimmering van mahonie en hij had een voordeur. Ik was er heel trots op. 'Ik zorg ervoor dat het semen in een handomdraai bij u is,' zei ik.

'Wat een geweldig idee,' zei hij. 'Zou je dat echt voor me willen doen, Cornelius?'

'Met het grootste plezier,' zei ik.

Vlak daarna ging ik weg en reed terug naar Trinity College. Mijn hoofd gonsde van alles wat A.R.Woresley me verteld had. Er was geen twijfel mogelijk dat hij een fantastische ontdekking gedaan had en als hij zijn bevindingen zou publiceren zou hij over de hele wereld als een groot man geroemd worden. Waarschijnlijk was hij een genie.

Maar dat zat me op geen enkele manier dwars. Wat ik me afvroeg was: Hoe kan ik met dat alles een miljoen pond verdienen? Ik had er geen bezwaar tegen dat A.R.Woresley tegelijkertijd rijk werd. Dat verdiende hij. Maar ondergetekende kwam eerst. Hoe meer ik erover nadacht, des te meer raakte ik ervan overtuigd dat het fortuin om de hoek op me wachtte. Maar ik twijfelde eraan dat dat van koeien en stieren zou komen.

Die nacht lag ik wakker en brak mijn hoofd onafgebroken over dat probleem. Misschien lijk ik in de ogen van een lezer van deze dagboeken in de meeste gevallen een tamelijk nonchalante vent, maar ik kan u verzekeren dat ik, wanneer er grote belangen op het spel staan, in staat ben heel geconcentreerd na te denken. Ongeveer tegen middernacht begon me een idee te dagen en in mijn hoofd rond te draaien. Het sprak me meteen aan, dat idee, om de eenvoudige reden dat het de twee elementen bevatte die me in het leven het meest aanspraken – verleiding en copulatie. Het sprak me zelfs nog meer aan toen ik me realiseerde dat het *ontzettend veel* verleiding en copulatie behelsde.

Ik stapte uit bed en trok mijn kamerjas aan. Ik begon aantekeningen te maken en onderzocht de problemen die zouden rijzen. Ik bedacht manieren om die te overwinnen. En toen ik klaar was kwam ik tot de heel besliste conclusie dat het plan zou lukken. Het moest wel lukken.

Er was maar een belemmering. A.R.Woresley moest overtuigd worden om eraan mee te doen.

8

De volgende dag zocht ik hem op de universiteit op en nodigde hem uit die avond bij me te dineren.

'Ik eet nooit buiten de deur,' zei hij. 'Mijn zuster verwacht me met het eten thuis.'

'Het is voor zaken,' zei ik. 'Het gaat om uw hele toekomst. Zeg haar dat het van levensbelang is, want dat is het. Ik sta op het punt een rijk man van u te maken.' Na veel soebatten gaf hij toe.

Die avond om zeven uur nam ik hem mee naar de Blue Boar aan Trinity Street en ik deed voor ons beiden de bestelling. Een dozijn oesters voor elk van ons en een fles Clos Vougeot Blanc, een heel zeldzame wijn. Daarna een schotel roastbeef met een goede Volnay.

'Ik moet zeggen dat je goed voor jezelf zorgt, Cornelius,' zei hij.

'Ik zou op geen andere manier voor mezelf willen zorgen,' antwoordde ik hem. 'U houdt toch van oesters?'

'Heel veel.'

Iemand opende de oesters aan de bar van het restaurant en wij keken ernaar. Het waren Colchesters, middelgroot en bol. Een ober bracht ze ons. De keldermeester opende de Clos Vougeot Blanc. We begonnen te eten.

'Ik zie dat u uw oesters kauwt,' zei ik.

'Wat dacht je anders dat ik zou doen?'

'Ze in hun geheel inslikken.'

'Dat is belachelijk.'

'Integendeel,' zei ik. 'Wanneer je oesters eet komt het voornaamste genot voort uit de sensatie die je krijgt als ze door je keel naar binnen glijden.'

'Daar geloof ik niets van.'

'En bovendien vermeerdert de wetenschap dat ze eigenlijk nog leven dat genot nog aanzienlijk.'

'Daar denk ik liever niet aan.'

'Oh, maar dat moet u zeker doen. Als u zich hard genoeg concentreert kunt u soms de oester nog in uw maag voelen kronkelen.'

A.R.Woresleys nicotinegele snor begon te trekken en leek op een borstelig zenuwachtig beestje dat zich aan zijn bovenlip vastklemde.

'Als u een bepaald deel van de oester heel goed bekijkt,' zei ik, 'Kijk, daar... daar kan u zijn hartslag zien. Daar, ziet u wel? En als je er je vork in prikt... zo... beweegt het vlees. Het maakt een krimpende beweging. Het doet hetzelfde wanneer je er citroensap op druppelt. Oesters houden niet van citroensap. Ze houden er ook niet van dat er vorken in ze gestoken worden. Ze kruipen weg. Het vlees trilt. Ik zal deze nu inslikken... is het geen schoonheid...? daar gaat ie dan... en nu ga ik een paar seconden heel stil zitten om de sensatie te ondergaan als hij zachtjes in mijn maag beweegt...'

Het kleine borstelige beestje op A.R.Woresleys bovenlip begon meer dan ooit op en neer te springen en zijn wangen waren zichtbaar bleker geworden. Langzaam schoof hij zijn bord met oesters opzij.

'Ik zal wat gerookte zalm voor u bestellen.'

'Graag, dank je.'

Ik bestelde de zalm en schoof de rest van zijn oesters op mijn bord. Hij keek hoe ik ze opat terwijl hij wachtte tot de ober zijn zalm bracht. Hij was nu heel stil, gedwee, en zo wilde ik hem hebben. Verdraaid! Die man was twee keer zo oud als ik en het enige dat ik deed was hem een beetje murw maken voor ik hem mijn grote voorstel in de schoot wierp. Ik moest hem wel eerst murw maken en proberen te domineren als ik ook maar een heel kleine kans wilde hebben dat hij met mijn plannetje meedeed. Ik besloot hem nog wat murwer te maken. 'Heb ik u ooit over mijn oude kindermeisje verteld?' vroeg ik.

'Ik dacht dat we hier waren om over mijn ontdekking te praten,' zei hij. De ober zette een schotel gerookte zalm voor hem neer. 'Ah,' zei hij. 'Dat ziet er goed uit.

'Toen ik op mijn negende naar kostschool ging,' zei ik, 'werd mijn goede oude kindermeisje, door mijn ouders met pensioen gestuurd. Ze kochten voor haar een klein boerderijtje op het land en daar woonde ze. Ze was ongeveer vijfentachtig en een kranig oud wijfje. Ze klaagde nooit over iets. Maar op een goede dag, toen mijn moeder haar ging opzoeken, zag ze er heel ziek uit. Moeder ondervroeg haar grondig en tenslotte gaf ze toe dat ze verschrikkelijke maagpijn had. Of ze die al lang had, vroeg mijn moeder. Nou, om helemaal eerlijk te wezen, ze had al heel wat jaren pijn in haar maag, gaf ze tenslotte toe. Maar het was nog nooit zo erg geweest. Mijn moeder haalde er een dokter bij. De dokter stuurde haar naar het ziekenhuis. Ze maakten röntgenfoto's van haar en op de foto stond iets heel ongewoons. Het waren twee kleine doorschijnende voorwerpen op ongeveer drie centimeter van elkaar midden in haar maag. Het leken wel transparante knikkers. Niemand in het ziekenhuis had ook maar het geringste idee wat die twee voorwerpen konden zijn en daarom besloten ze haar te opereren om daarachter te komen.'

'Ik hoop dat dit niet nog een van je onaangename anekdotes is,' zei A. R. Woresley, terwijl hij zijn zalm at.

'Het is fascinerend,' zei ik. 'Het zal u geweldig interesseren.'

'Nou, ga dan maar verder.'

'De chirurg sneed haar open, en wat denkt u dat die twee ronde voorwerpen toen bleken te zijn?'

'Ik heb niet het flauwste idee.'

'Het waren ogen.'

'Wat bedoel je, ogen?'

'De chirurg staarde recht in een paar wakkere, nieuwsgierige ronde ogen. En de ogen staarden terug.'

'Belachelijk.'

'Helemaal niet,' zei ik. 'En van wie waren ze, die ogen?'

'Van wie?'

'Ze waren van een *tamelijk grote inktvis*.'

'Je neemt me in de maling.'

'Het is de zuivere waarheid. Deze enorme octopus leefde echt als een parasiet in de maag van m'n goede oude kindermeisje. Hij at met haar mee en leefde er goed van...'

'Zo kan het wel weer even, Cornelius.'

'En alle acht die monsterlijke tentakels waren onverbrekelijk om haar lever en longen heengeslingerd. Ze konden ze niet losmaken. Ze stierf op de operatietafel.'

A.R.Woresley was gestopt met zijn zalm op te eten.

'Het interessantste van dit hele verhaal is hoe die inktvis daar nu eigenlijk kwam. Ik bedoel, hoe kan het gebeuren dat een oude dame plotseling met een volwassen inktvis in haar maag blijkt te zitten? Hij was te groot om door haar keel naar binnen gegaan te zijn. Het was het probleem van het scheepje in de fles. Hoe kwam hij er in hemelsnaam in?'

'Ik wil het liever niet weten,' zei A.R.Woresley.

'Ik zal u vertellen hoe dat kwam,' zei ik. 'Mijn ouders namen juf en mij iedere zomer mee naar Beaulieu, in Zuid-Frankrijk. We gingen altijd twee keer per dag in zee zwemmen. Kennelijk is het dus zo gebeurd dat juf, lang geleden, een kleine pasgeboren inktvis heeft ingeslikt en dit kleine schepsel was er op de een of andere manier in geslaagd zich met zijn zuignapjes aan haar maagwand vast te hechten. Juf at altijd goed en dus at de kleine inktvis goed. Juf at altijd met de familie mee. Soms was er lever met spek te eten en soms gebraden lam of varken. En of je het gelooft of niet, ze was vooral gek op gerookte zalm.'

A.R.Woresley legde zijn vork neer. Er lag nog een dun plakje zalm op zijn bord. En daar bleef het liggen.

'Die kleine inktvis groeide en groeide dus. Het werd een fijnproevende inktvis. Je kan het je zo voorstellen, nietwaar, daar diep in de donkere slochten van de maag terwijl hij in zichzelf zegt: "Ik vraag me af wat we vanavond te eten krijgen. Ik hoop dat het coq au vin is. Vanavond heb ik trek in coq au vin, met wat knapperig brood erbij." '

'Je hebt een onsmakelijke voorliefde voor het obscene, Cornelius.'

'Dat geval maakte medische geschiedenis,' zei ik.

'Ik vind het weerzinwekkend,' zei A.R.Woresley.

'Dat spijt me. Ik probeer alleen maar onderhoudend te zijn.'

'Ik ben hier niet alleen maar gekomen om onderhouden te worden.'

'Ik ga een rijk man van u maken,' zei ik.

'Ga dan verder en vertel me hoe.'

'Ik dacht dat ik dat beter kon laten rusten tot de port op tafel stond. Zonder een fles port worden nooit goede plannen gemaakt.'

'Bent u klaar, meneer?' vroeg de ober die met een schuin oog naar de rest van de zalm keek.

'Neem maar mee,' zei A.R.Woresley.

We zaten een tijdje zwijgend tegenover elkaar. De ober bracht de roastbeef. De Volnay werd geopend. Het was maart, zodat we gebakken pastinaken bij ons vlees kregen, en ook gebakken aardappelen en Yorkshire pudding. A.R.Woresley leefde een beetje op toen hij de roastbeef zag. Hij schoof dichterbij en begon aan te vallen.

'Wist u dat mijn vader een heleboel van de scheepvaarthistorie kende?' vroeg ik.

'Nee, dat wist ik niet.'

'Hij heeft me eens een roerend verhaal verteld,' zei ik, 'over de Engelse kapitein die dodelijk gewond raakte op het dek van zijn schip in de Amerikaanse Onafhankelijkheidsoorlog. Wilt u misschien wat mierikswortel bij uw vlees?'

'Ja, graag.'

'Ober,' riep ik, 'kunt u ons wat verse geraspte mierikswortel brengen? Terwijl die kapitein dus lag te sterven...'

'Cornelius,' zei A.R.Woresley, 'ik heb genoeg van je verhalen.'

'Dit is niet *mijn* verhaal. Het is dat van mijn vader. Het lijkt niet op dat andere. U zult ervan genieten.'

Hij viel op zijn roastbeef aan en gaf geen antwoord.

'Toen hij dus lag te sterven,' zei ik, 'liet hij zijn plaatsvervanger met de hand op het hart beloven dat hij zijn lichaam naar huis zou meenemen en in Engelse bodem zou begraven. Dat veroorzaakte een probleem omdat het schip op dat moment ergens voor de kust van Virginia lag. Het zou op zijn minst vijf weken kosten om naar Engeland terug te varen. Daarom besloten ze dat de enige manier om het lichaam in een enigszins redelijke staat thuis te krijgen was om het in een vat rum in te maken, en dat deden ze dan ook. Het vat werd aan de voormast vastgebonden en het schip zette koers naar Engeland. Vijf weken later meerde het aan bij Plymouth Hoe, en de hele bemanning van het schip moest aantreden om de kapitein de laatste eer te bewijzen terwijl zijn lichaam uit het vat in een kist gehesen werd. Maar toen het deksel van het vat gewipt was kwam er zo'n weerzinwekkende stank uit dat zelfs de sterkste mannen naar de railing moesten rennen. Anderen vielen flauw.

Dat was een raadsel, want gewoonlijk kan je alles inmaken in scheepsrum. Waar kwam dan die weerzinwekkende stank vandaan? Dat is een vraag die best gesteld kan worden.'

'Ik zal het niet vragen,' zei A.R.Woresley kortaf. Zijn snor wipte nu meer dan ooit.

'Ik zal u vertellen wat er gebeurd was.'

'Laat maar.'

'Nee, ik moet wel,' zei ik. 'Tijdens de reis had een aantal matrozen heimelijk een gaatje geboord in de bodem van het vat en er een stop ingezet. Daarna hebben ze in de loop van de tijd alle rum opgedronken.'

A.R.Woresley zei niets. Hij zag eruit of hij zich niet helemaal in orde voelde.

' "De beste rum die ik ooit geproefd heb," schijnt een van de matrozen later gezegd te hebben. Wat zullen we als dessert nemen?'

'Geen dessert,' zei A.R.Woresley.

Ik bestelde de beste fles port die in huis was en wat Stilton. Er hing een volkomen stilte tussen ons terwijl we wachtten tot de port gedecanteerd was. Het was een Cockburn en een goede ook, hoewel ik het jaar vergeten ben.

De port werd geserveerd en op onze borden lag de heerlijke kruimelige groene Stilton. 'Nou,' zei ik, 'zal ik u vertellen hoe ik voor u een miljoen pond ga verdienen.'

Hij was nu aandachtig en een beetje kribbig, maar niet agressief. Ik had hem zeker murw nu.

9

'U bent praktisch platzak,' zei ik. 'U betaalt u blind aan de hypotheekrente. U heeft een piepklein salaris van de universiteit. U heeft geen spaarcentjes. U leeft, als u mij toestaat, als een kerkrat.'

'We leven heel goed.'

'Nee, dat doet u niet. En dat zal u ook nooit, tenzij u mij laat helpen.'

'En wat ben je van plan?'

'U hebt,' zei ik, 'een grote wetenschappelijke ontdekking gedaan. Daarover bestaat geen twijfel.'

'Je bent het ermee eens dat het belangrijk is?' zei hij, terwijl hij overeind ging zitten.

'Heel belangrijk. Maar als u uw ontdekkingen publiceert moet u eens zien wat er dan gebeurt. Jan en alleman, over de hele wereld zullen ze uw procédé stelen om het ten eigen bate aan te wenden. En u zult ze niet kunnen tegenhouden. De hele geschiedenis van de wetenschap is het niet anders geweest. Denk eens aan de pasteurisatie. Pasteur publiceerde. Iedereen stal zijn procédé. En wat bleef er voor Pasteur over?'

'Hij werd een beroemd man,' zei A. R. Woresley.

'Als dat het enige is dat u wilt worden, dan heeft u mijn zegen en gaat u maar publiceren. En ik zal me bescheiden terugtrekken.'

'Zou ik in jouw opzet,' zei A. R. Woresley, 'ooit in staat zijn om te publiceren?'

'Natuurlijk. Zodra u het miljoen op zak heeft.'

'Hoe lang zou dat duren?'

'Dat weet ik niet. Ik zou zeggen op zijn hoogst vijf à tien jaar. Daarna zou het u vrijstaan beroemd te worden.'

'Nou, kom dan maar op,' zei hij. 'Laat me dat briljante plan nu maar eens horen.'

De port was heel goed. De Stilton was ook goed, maar ik nibbelde er alleen maar aan voor de smaak. Ik bestelde een appel. Een harde appel, in dunne schijfjes gesneden, is de beste begeleiding van port.

'Ik stel voor dat we ons alleen maar met *menselijke* spermatozoïden bezighouden,' zei ik. 'Verder stel ik voor dat we alleen de echte grootheden en beroemdheden, die op dit moment leven, uitkiezen en dat we voor deze mannen een spermabank oprichten. Daarin slaan we van iedere man tweehonderdvijftig rietjes sperma op.'

'Waar is dat goed voor?' vroeg A. R. Woresley.

'Ga in gedachten eens zestig jaar terug,' zei ik, 'naar ongeveer 1860, en stel je voor dat we toen leefden en dat we over de kennis en de kunde beschikten om sperma onbeperkt te bewaren. Welke levende genieën zou u, in 1860, als donor gekozen hebben?'

'Dickens,' zei hij.

'En verder?'

'En Ruskin... en Mark Twain.'

'En Brahms,' zei ik, 'en Wagner en Tsjaikowsky en Dvorak. De lijst is heel lang. En stuk voor stuk echte genieën. Als je wilt kun je nog verder in de eeuw teruggaan, naar Balzac, naar Beethoven, naar Napoleon, naar Goya en naar Chopin. Zou het niet opwindend zijn als we in onze vloeibare stikstof-bank een paar honderd strootjes van het levende sperma van Beethoven hadden?'

'Wat zou je ermee doen?'

'Ze verkopen, natuurlijk.'

'Aan wie?'

'Aan vrouwen. Aan hele rijke vrouwen die een baby willen hebben van een van de grootste genieën die ooit geleefd heeft.'

'Wacht nou even, Cornelius. Of ze nou rijk of arm zijn, vrouwen laten zichzelf niet insemineren met het sperma van een allang dode vreemdeling, alleen maar omdat het een genie was.'

'Dat denkt u maar. Echt, ik zou u naar ieder Beethoven-concert dat u maar wilt kunnen meenemen en ik garandeer u dat we een half dozijn vrouwen zullen vinden die er alles voor over zouden hebben om nu een baby te krijgen van de grote man.'

'Je bedoelt oude vrijsters?'

'Nee. Getrouwde vrouwen.'

'Wat zouden hun echtgenoten daarvan zeggen?'

'Hun echtgenoten zouden het niet weten. Alleen de moeder zou weten dat ze zwanger was van Beethoven.'

'Dat is een schelmenstreek, Cornelius.'

'Kunt u zich haar niet voorstellen,' zei ik, 'deze rijke ongelukkige vrouw die getrouwd is met een ongelooflijk lelijke, grove, onontwikkelde onaangename industrieel uit Birmingham, en plotseling heeft ze iets om voor te leven. Terwijl ze kuiert door de schitterend onderhouden tuin van het reusachtige landhuis van haar man, neuriet ze het langzame deel uit de *Eroica* van Beethoven en denkt bij zichzelf: Mijn God, is het niet schitterend! Ik ben zwanger van de man die honderd jaar geleden deze muziek schreef.'

'We hebben Beethovens sperma niet.'

'Er zijn genoeg anderen,' zei ik. 'In iedere eeuw, in ieder decennium zijn er grote mannen. Het is aan ons om ze te pakken te krijgen. En overigens,' ging ik verder, 'werkt één ding geweldig in ons voordeel. U zult zien dat heel rijke mannen bijna altijd lelijk, grof, onontwikkeld en onaangenaam zijn. Het zijn duitendieven, monsters. Denk alleen maar aan de mentaliteit van mannen die hun leven eraan gewijd hebben miljoen na miljoen op te stapelen – Rockefeller, Carnegie, Mellon, Krupp. Dat zijn de ouweren. De tegenwoordige oogst is net zo onaantrekkelijk. Industriëlen, oweeërs. Stuk voor stuk walgelijke schepsels. Ze trouwen zonder uitzondering vrouwen om hun schoonheid en de vrouwen trouwen met hen om hun geld. De schoonheden krijgen lelijke, nutteloze kinderen van hun lelijke, hebberige echtgenoten. Ze gaan hun mannen haten. Ze gaan zich vervelen. Ze gaan zich met cultuur bezighouden. Ze kopen schilderijen van impressionisten en gaan naar Wagner-concerten. In dat stadium, mijn waarde Woresley, zijn die vrouwen rijp om geplukt te worden. En daar komt Oswald Cornelius met het aanbod ze te insemineren met gegarandeerd echt Wagner-sperma.'

'Wagner is ook dood.'

'Ik probeer alleen maar aan te tonen waar onze spermabank op zal lijken over veertig jaar als we nu, in 1919, beginnen.'

'Wie stoppen we erin?' vroeg A.R.Woresley.

'Wie stelt u voor? Wie zijn de genieën vandaag de dag?'

'Albert Einstein.'

'Goed,' zei ik. 'Wie nog meer?'

'Sibelius.'

'Fantastisch. En Rachmaninow misschien?'

'En Debussy.'

'En verder?'

'Sigmund Freud in Wenen.'

'Is hij belangrijk?'

'Dat wordt hij,' zei A.R.Woresley. 'In medische kringen is hij al beroemd.'

'Als u dat zegt. En verder?'

'Igor Strawinsky,' zei hij.

'Ik wist niet dat u zich voor muziek interesseerde.'

'Natuurlijk.'

'Ik zou de schilder Picasso in Parijs willen voorstellen,' zei ik.

'Is dat een genie?'

'Ja,' zei ik.

'Zie je iets in Henry Ford uit Amerika?'

'O ja,' zei ik. 'Dat is een goeie. En onze koning, George de Vijfde.'

'*Koning George de Vijfde!*' riep hij uit. 'Wat heeft die er nou mee te maken?'

'Hij is van koninklijke bloede. Denk u eens in wat sommige vrouwen zouden betalen voor een kind van de koning van Engeland!'

'Nou maak je jezelf belachelijk, Cornelius. Je kan niet zo maar even bij Buckingham Palace binnenwippen en Zijne Majesteit de Koning vragen of hij zo goed zou willen zijn je van een ejaculatie semen te voorzien.'

'Wacht eventjes,' zei ik. 'U hebt nog niet de helft gehoord. En we stoppen niet bij George de Vijfde. We hebben echt een heel complete voorraad nodig van koninklijke sperma. Alle koningen van Europa. Laten we eens kijken. Je hebt Haakon van Noorwegen. En Gustaaf van Zweden. Christiaan van Denemarken. Albert van België. Alfonso van Spanje. Carol van Roemenië. Boris van Bulgarije. Victor Emanuel van Italië.'

'Je stelt je aan.'

'Nee, helemaal niet. Rijke Spaanse dames met blauw bloed zouden hunkeren naar een baby van Alfonso. En dat zal in ieder land hetzelfde zijn. De adel aanbidt de monarchie. Het is van essentieel belang dat we een goede voorraad koninklijk sperma in onze kluizen hebben. En ik krijg het te pakken. Maakt u zich maar niet ongerust. Ik krijg het te pakken.'

'Het is een onbesuisde en onuitvoerbare stunt,' zei A.R.Woresley. Hij stopte een brok Stilton in zijn mond en spoelde het met port weg. Zo verpestte hij zowel de kaas als de port.

'Ik ben bereid,' zei ik langzaam, 'om iedere penny van mijn honderdduizend pond in onze gezamenlijke onderneming te investeren. Zo onbesuisd denk ik dat het is.'

'Je bent gek.'

'U zou me gezegd hebben dat ik gek was als u me naar de Soedan had zien vertrekken op mijn zeventiende op zoek naar cantharidekever-poeder. Dat zou u gedaan hebben, nietwaar?'

Dat gaf hem te denken. 'Wat zou je voor dat sperma vragen?' zei hij.

'Een fortuin,' zei ik. 'Niemand kan goedkoop een baby-Einstein krijgen. Of een baby-Sibelius. Of een baby-koning Albert der Belgen. Hé. Er schiet me iets te binnen. Zou de baby van een koning voor troonopvolging in aanmerking komen?'

'Het zou een bastaard zijn.'

'Hij komt voor iets in aanmerking. Dat doen koninklijke bastaards altijd. We moeten schatten voor koninklijk sperma vragen.'

'Hoeveel zou je vragen?'

'Ik denk ongeveer twintigduizend pond per spuit. Gewone burgers zouden wat goedkoper zijn. We zouden een prijslijst moeten maken en een lijst met richtprijzen. Maar koningen zouden het duurste zijn.'

'H.G.Wells,' zei hij plotseling. 'Die is er nog.'

'Ja. We zouden hem op de lijst kunnen zetten.'

A.R.Woresley leunde achterover in zijn stoel en nipte aan zijn port.

'Aangenomen,' zei hij, 'alleen maar aangenomen dat we deze opmerkelijke spermabank hadden, wie zou er dan op uitgaan om de rijke vrouwelijke klandizie te vinden?'

'Ik.'

'En wie zou ze insemineren?'

'Ik.'

'Je weet niet hoe je dat moet doen.'

'Dat heb ik gauw genoeg onder de knie. Het lijkt me best leuk.'

'Er zit een fout in dat plannetje van jou,' zei A.R.Woresley. 'Een ernstige fout.'

'Wat is dat?'

'Het echt waardevolle sperma is niet dat van Einstein of Strawinsky. Het is dat van Einsteins vader. Of Strawinskys vader. Dat zijn de mannen die eigenlijk de genieën verwekt hebben.'

'Akkoord,' zei ik. 'Maar tegen de tijd dat iemand een erkend genie is geworden, is zijn vader dood.'

'Dus jouw plan is bedrieglijk.'

'We zijn erop uit geld te verdienen,' zei ik, 'niet om genieën te kweken. En bovendien willen die vrouwen niet het sperma van Sibelius' vader. Waar zij opuit zijn is een lekkere hete spuit met twintig miljoen levende spermatozoïden van de grote man zelf.'

A.R. had nu de brand in zijn afschuwelijke pijp gezet en wolken rook hingen om zijn hoofd. 'Ik geef toe,' zei hij, 'ja, ik moet je nagevenen dat je waarschijnlijk in staat bent rijke vrouwelijke klanten te vinden voor het sperma van genieën en vorsten. Maar je hele bizarre plannetje is helaas gedoemd te mislukken om de eenvoudige reden dat je niet in staat zal zijn aan je voorraden sperma te komen. Je gelooft toch niet serieus dat beroemdheden en koningen bereid zijn om... de genante handelingen te verrichten die nodig zijn om een ejaculatie sperma voor de een of andere volslagen onbekende jongeman voort te brengen...'

'Ik ben niet van plan het zo aan te leggen.'

'Hoe dan wel?'

'Op de manier waarop ik het ga doen zal geen van hen in staat zijn zich er tegen te verzetten donor te worden.'

'Flauwekul. Ik zou me ertegen verzetten.'

'Nee, dat zou u niet.'

Ik stopte een dun schijfje appel in mijn mond en at het op. Ik bracht het glas port naar mijn neus. Het had het bouquet van paddestoelen. Ik nam een slokje en liet het over mijn tong rollen. De smaak vulde mijn mond. Het deed me aan een kruidenmengsel denken. Een paar minuten was ik in de ban van de rijkdom van de wijn die ik proefde. En wat had die een fantastische nasmaak. De smaak bleef lange tijd achterin de neus hangen.

'Geef me drie dagen,' zei ik, 'en ik verzeker je dat ik een volledige en echte ejaculatie van je eigen sperma in mijn bezit zal hebben, samen met een verklaring, door jou ondertekend, dat het van jou is.'

'Wees geen dwaas, Cornelius. Je kan me niet iets laten doen wat ik niet wil.'

'Meer zeg ik niet.'

Hij loerde naar me door de tabaksrook. 'Je zou me niet op de een of andere manier bedreigen, hè?' zei hij. 'Of me martelen?'

'Natuurlijk niet. Je zou het uit je eigen vrije wil doen. Zou je met me willen wedden dat het me niet lukt?'

'Uit mijn eigen vrije wil, zei je?'

'Ja.'

'Dan wed ik om alles wat je maar wilt.'

'Akkoord,' zei ik. 'De inzet is dat als jij verliest je het volgende belooft: ten eerste dat je met publiceren wacht tot we ieder een miljoen verdiend hebben. Ten tweede dat je een volledig en enthousiast partner wordt. Ten derde dat je me alle technische kennis verschaft die ik nodig heb om de spermabank op te richten.'

'Het kan mij niet schelen een belofte te doen die ik nooit hoef te houden!' zei hij.

'Afgesproken dan?'

'Afgesproken,' zei hij.

Ik betaalde de rekening en keek hem na toen hij in de nacht wegfietste. Het was nog niet later dan half tien. Ik besloot mijn volgende stap onmiddellijk te zetten. Ik stapte in mijn auto en reed rechtstreeks naar Girton.

10

Voor het geval dat u dat niet wist: Girton was en is nog steeds een meisjescollege en maakt deel uit van de universiteit. Binnen die donkere muren huisde in 1919 een troepje jongedames dat er zo weerzinwekkend uitzag, met stierenekken en hondekoppen, dat ik moeite moest doen niet een andere kant uit te kijken. Ze deden me aan krokodillen denken. Als ik ze op straat tegenkwam liepen de rillingen me over mijn rug. Ze wasten zich zelden en hun brilleglazen zaten onder de vette vingers. Slim waren ze wel. Sommigen waren zelfs briljant. Maar dat maakte het voor mij nauwelijks goed.

Maar wacht eventjes.

Nog maar een week eerder had ik onder deze zoölogische specimens een schepsel ontdekt dat zo verblindend mooi was dat ik weigerde te geloven dat het een Girton-meisje was. Toch was ze dat. Ik had haar in de lunchtijd in een broodjeswinkel ontdekt. Ze at een doughnut. Ik vroeg of ik bij haar aan tafel mocht komen zitten. Ze knikte en at verder. En zo zat ik haar aan te gapen alsof ze de reïncarnatie van Cleopatra zelf was. Ik had in mijn korte leven nog nooit een meisje of een vrouw gezien die zo'n wulpse sfeer om zich heen had. Ze was gewoon gedrenkt in seks. Het maakte geen verschil dat haar gezicht onder de suiker en doughnut zat. Ze droeg een regenjas en een wollen sjaal, maar voor hetzelfde geld was ze poedelnaakt geweest. Zo'n meisje ontmoet je maar een of twee keer in je leven. Haar gezicht was te mooi voor woorden, maar het lichte wippen van haar neus en de vreemde trek om haar bovenlip maakten dat ik op het puntje van mijn stoel zat. Zelfs in Parijs had ik geen vrouw ontmoet die me zo ter plekke geil gemaakt had.

Ze ging verder met het eten van haar doughnut. Ik ging verder met haar aan te staren. Een keer, slechts een keer, keek ze op naar mijn gezicht en bleven haar ogen mij koel en scherp aankijken, alsof ze iets uitrekende, en daarna sloeg ze ze weer neer. Ze stak het laatste hapje doughnut in haar mond en schoof haar stoel achteruit.

'Blijf nog even,' zei ik.

Ze wachtte, en voor een tweede keer sloeg ze die berekenende bruine ogen op en liet ze op mijn gezicht rusten.

'Wat zei u?'

'Ik zei blijf nog even. Ga niet weg. Neem nog een doughnut. Of een ander broodje.'

'Waarom zegt u het niet als u met me wilt praten?'

'Ik wil met u praten.'

Ze vouwde haar handen in haar schoot en wachtte. Ik begon te praten. Ze deed algauw mee. Ze studeerde biologie op Girton en ze had, net als ik, een beurs. Haar vader was een Engelsman en haar moeder was Perzische. Ze heette Yasmin Howcomely. Wat we tegen elkaar zeiden deed niet ter zake. We gingen rechtstreeks van de broodjeswinkel naar mijn kamers en daar bleven we tot de volgende morgen. We bleven achttien uur bij elkaar en aan het einde voelde ik me als een stuk pemmikan, een reep uitgedroogd vlees. Ze was geladen, dat meisje, en ongelooflijk stout. Als ze Chinese geweest was en in Peking had gewoond, had ze haar diploma van verdienste nog gekregen met haar handen achter haar rug vastgebonden en met ijzeren ketenen aan haar voeten.

Ik werd zo gek op haar dat ik de gulden regel brak en haar een tweede keer opzocht.

En nu was het twintig voor tien in de avond en fietste A.R. Woresley naar huis en ik bevond me in de portiersloge van Girton en vroeg de oude portier vriendelijk miss Yasmin Howcomely op de hoogte te stellen dat mister Oswald Cornelius haar wenste te spreken over een uiterst dringende zaak.

Ze kwam onmiddellijk beneden. 'Spring in de auto,' zei ik. 'We hebben iets te bespreken.' Ze sprong in de auto en ik reed haar terug naar Trinity waar ik de Trinity-portier een halve sovereign gaf om even de andere kant uit te kijken terwijl zij langs hem glipte naar mijn kamers.

'Hou je kleren aan,' zei ik tegen haar. 'We zijn hier voor zaken. Hoe zou je het vinden rijk te worden?'

'Dat zou ik fantastisch vinden,' zei ze.

'Kan ik je volledig vertrouwen?'

'Ja,' zei ze.

'Zal je zwijgen als het graf?'

'Ga verder,' zei ze. 'Ik begin het nu al leuk te vinden.'

Daarna vertelde ik haar het hele verhaal van A.R. Woresleys ontdekking.

'Mijn God,' zei ze toen ik uitgesproken was. 'Dat is een grote wetenschappelijke ontdekking! Wie is die A.R.Woresley nou eigenlijk? Hij gaat wereldberoemd worden! Ik zou hem best willen ontmoeten!'

'Dat gebeurt gauw genoeg,' zei ik.

'Wanneer?' Omdat ze zelf een knappe jonge geleerde was, was haar opwinding oprecht.

'Wacht even,' zei ik. 'Hier komt de volgende aflevering.' Daarna vertelde ik haar over mijn plannen om de ontdekking te exploiteren en fortuin te maken door een spermabank op te richten voor de grote genieën van de wereld en alle koningen.

Toen ik uitgesproken was vroeg ze me of ik ook wijn had. Ik trok een fles bordeaux open en schonk twee glazen in. Ik vond wat goede droge biscuitjes om erbij te eten.

'Het lijkt me wel een grappig idee, die spermabank van jou,' zei ze, 'maar ik ben bang dat het niet zal werken.' En daarna bracht ze alle oude bezwaren naar voren die A.R.Woresley al eerder die avond had geuit. Ik liet haar maar doorpraten. Daarna gooide ik mijn schoppenaas op tafel.

'De laatste keer dat we elkaar zagen heb ik je het verhaal van mijn Parijse onderneming verteld,' zei ik. 'Kun je je dat herinneren?'

'De geweldige cantharidekever,' zei ze. 'Ik had gehoopt dat je wat mee teruggebracht had.'

'Dat heb ik ook.'

' 't Is niet waar!'

'Als je maar een speldeknop per keer gebruikt kom je een heel eind met vijf pond poeder. Er is ongeveer een pond over.'

'Dat is dan het antwoord!' riep ze, terwijl ze in haar handen klapte.

'Dat weet ik.'

'Voer ze een poeder en ze geven ons iedere keer een miljard van hun kleine kronkelaars!'

'Waarbij we jou als het lokaas gebruiken.'

'Oh, ik wil best het lokaas zijn,' zei ze. 'Ik zal ze lokken tot ze erbij neervallen. Zelfs de ouwetjes zullen hun portie kunnen geven! Laat me dat magische spul eens zien.'

Ik haalde het beroemde koekblik te voorschijn en opende het. Het poeder lag nog een duim dik op de bodem. Yasmin doopte er een vinger in en begon die naar haar mond te brengen. Ik greep haar pols beet. 'Ben je gek geworden?' riep ik. 'Er plakken minstens zes doses aan het topje van je vinger!' Ik bleef haar pols vasthouden en sleepte haar naar de badkamer en hield haar vinger onder de kraan.

'Ik wil het proberen,' zei ze. 'Alsjeblieft, schat. Een klein beetje maar.'

'Mijn God, mens,' zei ik, 'je hebt geen idee wat het met je doet!'

'Dat heb je me al verteld.'

'Als je het in werking wilt zien hoef je alleen maar te kijken wat het met A.R.Woresley doet wanneer je het hem morgen toedient.'

'Morgen?'

'Inderdaad,' zei ik.

'Joepie! Morgen hoe laat?'

'Jij zorgt dat A.R.Woresley zijn portie geeft en ik win mijn weddenschap,' zei ik. 'Dat betekent dat hij met ons mee moet doen. Woresley, jij en ik. We zullen een geweldig team vormen.'

'Ik vind het uitstekend,' zei ze. 'We zullen de wereld schokken.'

'We zullen meer dan hem schokken,' zei ik. 'We zullen alle gekroonde hoofden van Europa schokken. Maar eerst moeten we A.R.Woresley schokken.'

'Hij moet alleen zijn.'

'Dat is geen probleem,' zei ik. 'Hij is iedere avond tussen half zes en half zeven alleen op zijn laboratorium. Daarna gaat hij voor het avondeten naar huis.'

'Hoe laat ik het hem innemen?' vroeg ze. 'Het poeder?'

'In een bonbon,' zei ik. 'In een heerlijke kleine bonbon. Hij moet zo klein zijn dat hij het hele ding in één keer in zijn mond stopt.'

'En waar denk je dat we tegenwoordig van die heerlijke kleine bonbons kunnen krijgen?' vroeg ze. 'Je vergeet dat er een oorlog gewoed heeft.'

'Dat is de kern van de zaak,' zei ik. 'A.R.Woresley heeft waarschijnlijk al sinds 1914 geen behoorlijke chocola meer geproefd. Hij zal het verslinden.'

'Maar heb je ze?'

'Kijk hier maar,' zei ik. 'Voor geld kun je alles kopen.'

Ik trok een la open en haalde een doos chocoladetruffels te voorschijn. Ze waren allemaal identiek en even groot als een kleine knikker. Ze waren me geleverd door Prestat, de beroemde chocolatiers uit Oxford Street in Londen. Ik nam er een van en maakte er met een speld een gaatje in. Ik maakte het gat een beetje groter. Daarna gebruikte ik de knop van dezelfde speld om een dosis cantharidekever-poeder af te meten. Die stortte ik in het gaatje. Daarna mat ik een tweede dosis af en deed die er ook in.

'Hé,' riep Yasmin. 'Dat zijn twee doses!'

'Dat weet ik. Ik wil er volkomen zeker van zijn dat Woresley zijn portie geeft.'

'Hij zal er stapelgek van worden.'

'Daar komt ie wel weer overheen.'

'En ik dan?'

'Ik denk dat jij wel voor jezelf kunt zorgen,' zei ik. Ik drukte de zachte chocolade weer bij elkaar om het gat weer te sluiten. Daarna stak ik een lucifer in de bonbon. 'Ik geef je twee bonbons,' zei ik. 'Een voor jou en een voor hem. Die voor hem is die met de lucifer erin.' Ik stopte de bonbons in een papieren zakje en gaf ze aan haar. We bespraken het strijdplan tot in de details.

'Wordt hij agressief?' vroeg ze.

'Een beetje maar.'

'En waar krijg ik dat ding waar je het over had?'

Ik haalde het voorwerp in kwestie te voorschijn. Ze keek het na om zich ervan te vergewissen dat het in goede staat was, en stopte het daarna in haar handtas.

'Alles klaar?'

'Ja,' zei ze.

'Vergeet niet dat het een generale repetitie is voor alle ande-re die je later gaat doen. Let dus goed op.'

'Ik wou dat ik judo kende,' zei ze.

'Het zal je best lukken.'

Ik reed haar terug naar Girton en bracht haar veilig tot de poorten van het college.

11

We verplaatsen ons nu naar de volgende dag half zes. Ik lag zelf comfortabel op de grond achter een rij houten archiefkasten in A.R.Woresleys laboratorium. Ik was de hele dag bezig geweest nonchalant het laboratorium in en uit te lopen om het terrein te verkennen en de kasten langzaam een halve meter van de muur te schuiven zodat ik me erachter kon persen. Ik had een spleet van een paar centimeter tussen twee kasten gelaten zodat ik, als ik daar doorheen keek, een uitstekend uitzicht had over de hele lengte van het laboratorium. A.R.Woresley werkte altijd aan de andere kant van de ruimte, ongeveer zes meter van waar ik gelegerd was. Hij was er ook. Hij rommelde met een rekje reageerbuisjes en een pipet en de een of andere blauwe vloeistof. Vandaag droeg hij niet zijn gebruikelijke witte jas. Hij was in hemdsmouwen en droeg een grijze flannel broek. Er werd op de deur geklopt.

'Binnen!' riep hij, zonder op te kijken.

Yasmin kwam binnen. Ik had haar niet verteld dat ik zou kijken. Waarom zou ik ook? Maar een generaal moet zijn troepen tijdens een veldslag altijd in de gaten houden. Ze zag er verrukkelijk uit in een jurk van bedrukte katoen die nauw om haar bovenbouw sloot, en toen ze het lab binnenkwam werd ze begeleid door dat vluchtige aura van wulpsheid en geilheid dat haar overal als een schaduw volgde.

'Professor Woresley?'

'Ja, ik ben Woresley,' zei hij, terwijl hij nog steeds niet opkeek. 'Wat kan ik voor u doen?'

'Mijn excuses dat ik zo maar bij u binnenval, professor Woresley,' zei ze. 'Ik ben geen scheikundige. Eigenlijk ben ik een biologiestudent. Maar ik worstel op het moment met een tamelijk ingewikkeld probleem dat meer scheikundig dan biologisch is. Ik heb het al overal gevraagd maar niemand is blijkbaar in staat me het antwoord te geven. Ze zeiden allemaal dat ik naar u moest toegaan.'

'Ach, deden ze dat,' zei A.R.Woresley en hij klonk gevleid. Hij ging door met zorgvuldig blauwe vloeistof uit een maatbeker met zijn pipet in de reageerbuisjes te druppelen. 'Laat me alleen even dit afmaken,' voegde hij eraan toe. Yasmin bleef staan en al wachtend taxeerde ze haar slachtoffer.

'Nou, liefje,' zei A.R.Woresley, terwijl hij zijn pipet neerlegde en zich voor de eerste keer omdraaide. 'Wat was er nu...' Hij stopte midden in zijn zin. Zijn mond viel open en zijn ogen werden zo groot en rond als theeschoteltjes. Toen verscheen het puntje van zijn rode tong onder zijn berookte snor en begon zijn lippen te bevochtigen. Voor een man die jaren achter elkaar alleen meisjes van Girton en zijn eigen duivelse zuster gezien had, moest Yasmin hem wel de schepping geleken hebben, de eerste morgen, de geest die over de wateren zweefde. Maar hij herstelde zich snel.

'Je had me iets te vragen, liefje?'

Yasmin had haar vraag schitterend voorbereid. Ik ben vergeten hoe hij precies luidde, maar hij ging over een situatie waarin scheikunde (zijn onderwerp) en biologie (haar onderwerp) op een uiterst ingewikkelde manier in elkaar overliepen en waarbij een grondige kennis van de scheikunde vereist was om het probleem te ontrafelen. Het antwoord zou, zoals zij zo sluw had berekend, minstens tien minuten kosten en waarschijnlijk meer.

'Een fascinerende vraag,' zei A.R.Woresley. 'Laat ik eens kijken hoe ik hem het beste kan beantwoorden.' Hij liep naar een lang schoolbord toe dat aan de muur van het lab hing. Hij pakte een krijtje.

'Kan ik u een plezier doen met een bonbon?' vroeg Yasmin. Ze had het papieren zakje in haar hand en toen A.R.Woresley zich omdraaide, stopte ze er een in haar eigen mond. Ze pakte de andere bonbon uit de zak en hield 'm hem tussen haar vingertoppen voor.

'Lieve hemel!' sputterde hij. 'Wat een verrassing!'

'Heerlijk,' zei ze. 'Proef maar eens.'

A.R.Woresley nam hem aan en sabbelde erop en liet hem in zijn mond ronddraaien. 'Verrukkelijk,' zei hij. 'Wat ontzettend aardig van je.'

Op het moment dat de bonbon door zijn keel naar binnen gleed keek ik op mijn horloge. Ik zag dat Yasmin precies hetzelfde deed. Wat een verstandig meisje. A.R.Woresley stond bij het bord en gaf een lange uitleg waarbij hij veel schitterende scheikundige formules met krijt opschreef. Ik luisterde er niet naar. Ik telde de minuten die verliepen. Net als Yasmin. Ze keek nauwelijks op van haar horloge.

Zeven minuten voorbij...

Acht minuten...

Acht minuten en vijftig seconden...

Negen minuten! En precies op tijd stopte de hand die het krijtje tegen het bord hield plotseling met schrijven. A.R.Woresley verstijfde.

'Professor Woresley,' zei Yasmin vlug en perfect getimed. 'Ik vraag me af of u me uw handtekening zou willen geven. U bent de enige docent natuurwetenschappen van wie ik nog geen handtekening heb voor mijn verzameling.' Ze hield hem een pen en een velletje papier van de scheikundefaculteit voor.

'Wat is dat?' stamelde hij, terwijl hij een hand in zijn broekzak stopte voor hij zich naar haar omdraaide.

'Op deze plek,' zei Yasmin, terwijl ze haar vinger halverwege het vel zette zoals ik haar had opgedragen. 'Uw handtekening. Ik verzamel ze. Ik zal hem nog meer koesteren dan de andere.'

Om de pen aan te pakken moest A.R.Woresley zijn hand uit zijn zak halen. Het was een komisch gezicht. De arme man zag eruit alsof hij een levende slang in zijn broek had. En nu begon hij op zijn tenen op en neer te wippen.

'Hier,' zei Yasmin, terwijl ze haar vinger op het briefpapier hield. 'Dan zal ik hem bij alle andere in mijn handtekeningenboek plakken.'

Terwijl zijn geest bewolkt werd door de zich opstapelende hartstochten, tekende A.R.Woresley. Yasmin vouwde het papier op en stopte het in haar tas. A.R.Woresley greep zich met beide handen aan de rand van de houten laboratoriumtafel vast. Hij begon alle kanten uit te zwaaien alsof het hele gebouw in een storm op zee was. Zijn voorhoofd was nat van het zweet. Ik dacht eraan dat hij een dubbele dosis gekregen had. Ik denk dat Yasmin aan hetzelfde dacht. Ze deed een paar passen achteruit en zette zich schrap voor de komende aanval.

Langzaam draaide A.R.Woresley zijn hoofd en staarde haar aan. Het poeder had hem goed te pakken en in zijn ogen schitterde een vonk van waanzin.

'Ik... eh... ik... ik...'

'Is er iets niet in orde, professor Woresley?' vroeg Yasmin zoetjes. 'Voelt u zich wel helemaal goed?'

Hij bleef zich aan de tafel vastklampen en staarde haar aan. Zijn hele gezicht zat nu onder het zweet en het droop op zijn snor.

'Kan ik u ergens mee helpen?' vroeg Yasmin.

Er kwam een grappig gorgelend geluid uit zijn keel.

'Zal ik een glas water voor u halen?' vroeg ze. 'Of misschien wat vlugzout?'

En zo bleef hij daar staan, terwijl hij zich aan de tafel vastklampte en die vreemde gorgelende geluiden bleef maken. Hij herinnerde me aan een man bij wie een visgraat in zijn keel was blijven steken.

Plotseling gaf hij een grote schreeuw en stortte zich op het meisje. Hij greep haar met beide handen bij haar schouders en probeerde haar op de grond te drukken, maar ze glipte buiten zijn bereik.

'Aha!' zei ze, 'dus dat zit u dwars, is het niet? Nou, daar hoeft u zich helemaal niet voor te schamen hoor, beste man.' Terwijl ze dat tegen hem zei was haar stem zo koel als duizend poolnachten.

Hij kwam weer met uitgestrekte handen op haar af en greep naar haar, maar ze was hem te vlug af. 'Een ogenblikje,' zei ze, terwijl ze haar tas opende en er het rubberen ding uithaalde dat ik haar de vorige nacht gegeven had. 'Ik vind het best om wat plezier met u te maken, professor, maar we willen toch niet dat er hier iemand een beetje in verwachting raakt, nietwaar? Wees daarom even een brave jongen en sta een ogenblikje stil dat ik uw kleine regenjasje om kan doen.'

Maar A.R.Woresley gaf niet om het kleine regenjasje. Hij was niet van plan stil te blijven staan. Ik denk dat hij niet stil had *kunnen* blijven staan, zelfs al had hij dat gewild. Het was vanuit mijn eigen standpunt heel leerzaam om het merkwaardige effect te observeren dat een dubbele dosis bij iemand teweegbracht. Het deed hem vooral huppelen. Hij bleef op en neer huppelen alsof hij met ritmische gymnastiek bezig was. Hij bleef die absurde gorgelende geluiden maken. En hij bleef met zijn armen rondzwaaien alsof hij een molen was. Het zweet bleef over zijn gezicht stromen. En Yasmin bleef om hem heen dansen met het belachelijke rubberen ding in haar handen, terwijl ze riep: 'Oh, blijf nou toch *stilstaan*, professor Woresley! Ik laat u niet in mijn *buurt* komen tot u dit aanheeft!'

Ik denk dat hij haar niet eens hoorde. En hoewel hij kennelijk gek werd van wellust maakte hij ook de indruk van iemand die zich helemaal niet lekker voelde. Hij huppelde op en neer, leek het wel, omdat hij last had van een bijzonder sterke irritatie. Er was iets dat hem *prikte*. Het prikte hem zo sterk dat hij niet stil kon blijven staan. Bij windhondenraces stoppen ze, om een hond sneller te laten lopen, vaak een stukje gember in zijn endeldarm en dan rent de hond zich de benen uit het lijf in een poging om dat vreselijke prikkende ding in zijn achterste kwijt te raken. Bij A.R.Woresley prikte het op een heel andere plaats van zijn lichaam en door de pijn huppelde, sprong en wipte hij het hele lab door, en tegelijkertijd zei hij bij zichzelf, zo leek het tenminste, dat alleen een vrouw hem van die vreselijke prikkel af kon helpen. Maar dat nare mens was hem steeds te vlug af. Hij kon haar niet te pakken krijgen. En het prikkende gevoel werd steeds heftiger.

Plotseling scheurde hij met beide handen de voorkant van zijn broek open en zeilden een half dozijn knopen met tinkelende geluidjes door de ruimte. Hij liet zijn broek zakken. Die bleef om zijn enkels hangen. Hij probeerde hem uit te trappen, maar dat lukte hem niet omdat hij nog steeds zijn schoenen aanhad.

Omdat de broek nu om zijn enkels hing kon A.R.Woresley tijdelijk inderdaad helemaal niets anders doen dan huppelen. Hij kon niet rennen. Hij kon zelfs niet lopen. Hij kon alleen huppelen. Yasmin zag haar kans schoon en greep hem. Ze dook naar de recht overeindstaande en trillende knuppel die door de spleet in zijn onderbroek stak. Ze pakte hem in haar rechterhand beet en hield hem zo stevig vast alsof het het handvat van een tennisracket was. Nou had ze hem. Hij begon nog harder te brullen.

'Hou in hemelsnaam even je mond!' zei ze. 'Anders krijgen we straks de hele universiteit over de vloer! En blijf nou even stilstaan zodat ik dit verdomde ding erop kan krijgen!'

Maar A.R.Woresley hoorde niets, behalve zijn heftige en fundamentele verlangens. Hij *kon* gewoon niet stilstaan. Gekluisterd door de broek om zijn enkels bleef hij rondhuppelen en met zijn armen zwaaien en als een stier brullen. Het moet voor Yasmin zijn geweest alsof ze een draad door het oog van de naald van een werkende naaimachine probeerde te steken.

Tenslotte verloor ze haar geduld en ik zag dat haar rechterhand, de hand waarmee ze zo te zeggen het handvat van het tennisracket vasthield, een gemeen rukje gaf. Het was alsof ze een scherpe backhand gaf na een harde halve volley met een snelle draaiing van de pols aan het einde van de slag om hem wat effect te geven. Een gemene kleine ruk was het en ze won er zeker de slag mee, want het slachtoffer gaf een schreeuw die alle reageerbuisjes in het lab deed springen. Het deed hem vijf seconden verstarren, wat haar net voldoende tijd gaf hem het rubberen geval aan te doen en dan weer buiten zijn bereik weg te springen.

'Zouden we het niet een ietsepietsie rustiger aan kunnen doen?' zei ze. 'Dit is geen stieregevecht.'

Hij rukte nu zijn schoenen uit en gooide ze door het vertrek en toen hij zijn broek uitschopte en weer helemaal mobiel werd, moet Yasmin hebben geweten dat nu eindelijk het moment van de waarheid aangebroken was.

Dat was het dan ook. Maar het heeft geen zin het wilde hossen en rollebollen te beschrijven dat toen volgde. Er waren geen onderbrekingen, geen pauzes, geen rust. De energie die mijn dubbele dosis cantharidekever aan die man gegeven had, was verbazend. Hij viel op haar aan alsof ze een oneffen weg was en hij de hobbels eruit wilde halen. Hij greep haar van top tot teen. Hij beukte haar van voren en van achteren en hij bleef maar laden en schieten hoewel zijn kanon gloeiend heet moet zijn geweest. Men zegt dat de oude Britten vuur maakten door de punt van een stok heel snel en lang op een blok hout te laten draaien. Nou, als dat vuur gaf was A.R.Woresley bezig ieder moment een razende vuurzee te ontketenen, hout of geen hout.

Het zou me niet in het minst verbaasd hebben een wolkje rook te zien opstijgen uit de worstelaars op de grond.

Terwijl dat allemaal gebeurde nam ik de gelegenheid te baat met potlood en papier een paar aantekeningen te maken om later op terug te kunnen vallen.

Noot een: Streef ernaar Yasmin altijd met haar subject in contact te brengen in een ruimte waar een rustbank of een leunstoel is of op zijn minst een dik tapijt op de vloer. Het is ongetwijfeld een sterk en lenig meisje, maar het is wat te veel gevraagd om haar op een harde houten vloer te laten werken in uitzonderlijke omstandigheden, zoals ze nu doet. Op deze manier zou ze gemakkelijk een beschadiging van haar lendenen kunnen oplopen of zelfs een gebroken heup. En hoe zou het dan met ons slimme plannetje verder moeten, tra-la-la?

Noot twee: Schrijf nooit meer een dubbele dosis aan wie dan ook voor. Te veel poeder veroorzaakt een overmatige irritatie van de edele delen en veroorzaakt bij het slachtoffer een soort sint-vitusdans. Dat maakt het voor Yasmin bijna onmogelijk de spermaverzamelaar erop te schuiven zonder vals te spelen. Een overdosis maakt ook dat het slachtoffer brult, wat genant zou kunnen worden als de vrouw van het slachtoffer, bijvoorbeeld de koningin van Denemarken of de vrouw van George Bernhard Shaw, toevallig rustig in de aangrenzende kamer met een borduurwerkje bezig was.

Noot drie: Probeer een manier te vinden om Yasmin eronderuit te krijgen en er met het kostbare zaad zo gauw mogelijk vandoor te laten gaan als het spul in de zak zit. Dat duivelse poeder kan, zelfs wanneer het in kleine hoeveelheden wordt toegepast, gemakkelijk een negentigjarig genie een paar uur of meer laten doorbeuken. En afgezien van het ongemak dat dat Yasmin zou kunnen veroorzaken, is het van het grootste belang dat de kleine kronkelaars snel in de diepvries komen, als ze nog vers zijn. Kijk bijvoorbeeld nu eens naar die goeie ouwe Woresley en zie hoe hij er nog steeds op los stampt hoewel hij duidelijk op zijn minst al zes keer achter elkaar zijn bijdrage geleverd heeft.

Misschien zou een korte prik met een hoedespeld in de billen daar in de toekomst uitkomst kunnen bieden.

Daar op de vloer van het lab had Yasmin geen hoedespeld om haar te helpen en ik weet tot vandaag de dag nog niet wat ze precies met A.R.Woresley gedaan heeft dat hij weer een van zijn schrikwekkende schreeuwen slaakte en zo plotseling in zijn bewegingen verstarde. En ik wil het niet weten ook, want het gaat me niets aan. Maar wat het ook was, het was zeker dat een net meisje als zij het nooit bij een aardige man als hem gedaan zou hebben als het niet absoluut noodzakelijk was geweest. Het volgende dat ik wist was dat Yasmin overeind stond en naar de deur rende met de oorlogsbuit in haar hand. Ik ging bijna rechtop staan en applaudisseren toen ze het toneel verliet. Wat een voorstelling! Wat een schitterende exit! De deur sloeg dicht en ze was weg.

Onmiddellijk werd het laboratorium stil. Ik zag hoe A.R. Woresley langzaam overeind krabbelde. Wankelend en duizelig bleef hij staan. Hij zag eruit als iemand die met een cricket-bat op zijn hoofd was geslagen. Hij strompelde naar de gootsteen en begon water in zijn gezicht te plensen en terwijl hij daarmee bezig was kroop ik uit mijn schuilplaats, sloop het lab uit en deed de deur zachtjes achter me dicht.

In de gang was geen spoor meer te bekennen van Yasmin. Ik had haar gezegd dat ik tijdens de hele operatie in mijn kamers in Trinity zou zitten en waarschijnlijk was ze daarnaar onderweg. Ik snelde naar buiten, sprong in mijn automobiel en reed van het laboratoriumgebouw naar het college langs een omweg zodat ik haar onderweg niet zou passeren. Ik parkeerde de wagen en ging naar mijn kamers en wachtte.

Een paar minuten later kwam ze binnen.

'Geef me iets te drinken,' zei ze, terwijl ze naar een fauteuil liep. Ik zag dat ze zo'n beetje met o-benen liep en heel voorzichtig deed.

'Je ziet eruit alsof je net de marathon in recordtijd op je handen gelopen hebt,' zei ik.

Ze antwoordde me niet. Ik schonk haar vijf centimeter gin in en voegde er een cc lime juice aan toe. Ze nam een flinke slok van dat fantastische spul en zei: 'Ah, daar was ik aan toe.'

'Hoe is het gegaan?'

'We hebben hem een beetje te veel gegeven.'

'Daar heb ik ook aan zitten denken,' zei ik.

Ze deed haar tas open en haalde daar het weerzinwekkende rubber ding uit waarin ze, heel verstandig, aan de open kant een knoop had gelegd. En ook het velletje papier met A.R. Woresleys handtekening erop.

'Geweldig!' schreeuwde ik. 'Het is je gelukt! Het heeft allemaal gewerkt! Heb je ervan genoten?'

Haar antwoord verbaasde me. 'Om helemaal eerlijk te zijn, nogal,' zei ze.

'Wat? Bedoel je dat hij niet te wild was?'

'Bij hem vergeleken waren alle andere mannen die ik ontmoet heb eunuchen,' zei ze. Daar moest ik om lachen.

'Jij inbegrepen,' zei ze.

Ik hield op met lachen.

'Dit,' zei ze zachtjes, terwijl ze nog een slok gin nam, 'is precies zoals ik mijn mannen voortaan wil hebben.'

'Maar je zei dat we hem te veel hebben gegeven.'

'Een heel klein beetje maar,' zei ze. 'Ik kon hem niet laten ophouden. Hij was volstrekt onvermoeibaar.'

'Hoe heb je hem laten ophouden?'

'Vergeet het maar.'

'Zou de volgende keer een hoedespeld van pas kunnen komen?'

'Dat is een goed idee,' zei ze. 'Ik zal een hoedespeld meenemen. Maar ik zou nog liever een juiste dosis willen geven zodat ik hem niet hoef te gebruiken.'

'Daar zullen we voor zorgen.'

'Ik zou bij voorkeur geen hoedespelden willen steken in de billen van de Spaanse koning, als je begrijpt wat ik bedoel.'

'Ja, ja. Ik snap het.'

'Ik zou liever in een goede verstandhouding willen weggaan.'

'Ben je dat dan niet?'

'Nou, niet helemaal,' zei ze, flauwtjes glimlachend.

'Je hebt in ieder geval je best gedaan,' zei ik. 'Je hebt het geflikt.'

'Hij was zo grappig,' zei ze. 'Ik wou dat je hem gezien had.

Hij bleef maar op en neer huppelen.'

Ik nam het vel briefpapier met A.R. Woresleys handtekening en draaide het in mijn schrijfmachine. Ik ging zitten en tikte de volgende tekst precies boven de handtekening:

Bij deze verklaart ondergetekende dat hij heden, 27 maart 1919, persoonlijk een hoeveelheid van zijn eigen semen heeft geleverd aan de heer Oswald Cornelius, president van het Internationale Semenhuis te Cambridge, Engeland. Het is zijn wens dat dit zaad onbeperkt zal worden bewaard met gebruik van de revolutionaire en onlangs ontdekte Woresley-techniek, en verder komt hij overeen dat voornoemde heer Oswald Cornelius te allen tijde hoeveelheden van dat semen mag gebruiken om streng op kwaliteit geselecteerde vrouwen te bevruchten om zijn bloedlijn over de hele wereld te verspreiden voor het heil van toekomstige generaties.

Getekend, A.R. Woresley,
hoogleraar in de scheikunde
Cambridge University

Ik liet het aan Yasmin zien. 'Het is duidelijk niet van toepassing op Woresley,' zei ik, 'want zijn spul gaat niet in de diepvries. Maar wat vind je er verder van? Ziet het er goed uit boven de handtekening van koningen en genieën?'

Ze las het zorgvuldig door. 'Het is goed,' zei ze. 'Het zal het uitstekend doen.'

'Ik heb mijn weddenschap gewonnen,' zei ik. 'Nu zal Woresley moeten capituleren.'

Ze zat van haar gin te genieten. Ze was ontspannen en zag er verbazingwekkend koel uit. 'Ik heb het vreemde gevoel,' zei ze, 'dat deze hele affaire zal werken. In het begin klonk het belachelijk. Maar nu kan ik niet zien wat ons kan tegenhouden.'

'Niets kan ons tegenhouden,' zei ik. 'Je zal iedere keer winnen zolang je de juiste man kunt benaderen en hem het poeder kunt geven.'

'Het is werkelijk fantastisch spul.'

'Dat heb ik in Parijs gemerkt.'

'Denk je niet dat enkele van de hele ouwetjes er een hartaanval van kunnen krijgen?'

'Natuurlijk niet,' zei ik, hoewel ik me precies hetzelfde ook had zitten afvragen.

'Ik wil niet over de hele wereld een spoor van lijken achterlaten,' zei ze. 'Vooral niet de lijken van grote en beroemde mannen.'

'Dat zal je niet,' zei ik. 'Maak je er maar geen zorgen over.'

'Neem bijvoorbeeld Alexander Graham Bell,' zei ze. 'Volgens jou is hij nou tweeënzeventig jaar. Denk je dat hij het zou kunnen hebben?'

'Zo sterk als een beer,' zei ik. 'Dat zijn alle grote mannen. Maar als dat je je wat meer op je gemak stelt zal ik je vertellen wat we zouden kunnen doen. We zullen de dosis afstemmen op de leeftijd. Hoe ouder ze zijn, hoe minder ze krijgen.'

'Dat lijkt me wel wat,' zei ze. 'Het is een goed idee.'

Ik ging met Yasmin uit en trakteerde haar op een groots diner bij de Blue Boar. Ze verdiende het. Toen bracht ik haar weer veilig terug naar Girton.

12

De volgende morgen ging ik, met het rubber ding en de getekende brief in mijn zak, op zoek naar A. R. Woresley. Ze vertelden me in het laboratoriumgebouw dat hij die morgen niet gekomen was. Daarom reed ik naar zijn huis en belde aan. De duivelse zuster deed open.

'Arthur is een beetje in de lappenmand,' zei ze.

'Wat is er gebeurd?'

'Hij is van zijn fiets gevallen.'

'Lieve hemel.'

'Hij fietste in het donker naar huis en is tegen een pilaar gereden.'

'Oh, wat vreselijk. Is hij ernstig gewond?'

'Hij is overal gekneusd,' zei ze.

'Niets gebroken, hoop ik.'

'Nou,' zei ze, terwijl er enige bitterheid in haar stem klonk, 'geen *botten*.'

Oh God, dacht ik, oh Yasmin. Wat heb je met hem gedaan?

'Wilt u hem alstublieft mijn oprechte medeleven overbrengen?' vroeg ik. Toen ging ik weg.

De volgende dag verscheen er een heel zwakke A. R. Woresley op zijn werk.

Ik wachtte tot we alleen in het lab waren waarna ik het vel van de scheikundefaculteit voor hem legde waarop ik de tekst boven zijn handtekening had geschreven. Ik legde ook een miljard van zijn eigen spermatozoïden (dood nu) op de tafel en zei: 'Ik heb mijn weddenschap gewonnen.'

Hij staarde naar het obscene rubber ding. Hij las de brief en herkende zijn handtekening.

'Vlerk die je bent!' schreeuwde hij. 'Je hebt me beetgenomen.'

'U heeft een dame aangerand.'

'Wie heeft dit getypt?'

'Ik.'

Hij liet het allemaal tot zich doordringen.

'Oké,' zei hij. 'Maar wat is er met me *gebeurd?* Ik ben volkomen gek geworden. Wat heb je in godsnaam gedaan?'

'U heeft een dubbele dosis *cantharis vescatoria sudanii* gehad,' zei ik. 'De oude cantharidekever. Krachtig spul is dat.'

Hij staarde me aan terwijl het begrip langzaam op zijn gezicht te lezen werd. 'Dus *dat* was het,' zei hij. 'In die vervloekte bonbon neem ik aan.'

'Natuurlijk. En als u hem geslikt heeft zullen de koning der Belgen en de prins van Wales en Joseph Conrad en alle anderen dat ook doen.'

Hij begon het lab op en neer te lopen, hoewel een beetje voorzichtig. 'Ik heb je al eens eerder gezegd, Cornelius, dat je absoluut geen scrupules hebt.'

'Inderdaad,' zei ik grinnikend.

'Weet je wat die vrouw met me gedaan heeft?'

'Ik kan het me precies voorstellen.'

'Het is een heks! Het is een... een vampier! Ze is weerzinwekkend!'

'Het leek erop dat u haar best aardig vond,' zei ik, terwijl ik op het ding wees dat op tafel lag.

'Ik was onder invloed!'

'U heeft haar verkracht. U heeft haar verkracht als een beest. U was weerzinwekkend.'

'Dat was de cantharidekever.'

'Natuurlijk was die het,' zei ik. 'Maar wanneer Marcel Proust haar als een beest verkracht, of koning Alfonso van Spanje, zullen *zij* dan weten dat ze de cantharidekever gehad hebben?'

Hij antwoordde me niet.

'Hoogst waarschijnlijk zullen ze dat niet,' zei ik. 'Ze zullen zich misschien wel afvragen wat hun in hemelsnaam overkwam, net zoals u. Maar ze zullen nooit het antwoord weten en tenslotte zullen ze het gewoon moeten wijten aan de ongelooflijke aantrekkelijkheid van het meisje. Dat is het enige waar ze het aan kunnen wijten. Nietwaar?'

'Eh, ja.'

'Ze zullen zich schamen dat ze haar verkracht hebben, net als u. Ze zullen veel berouw hebben, net als u. Ze zullen het hele geval in de doofpot willen stoppen, net als u. Met andere woorden, ze zullen niet lastig voor ons zijn. We smeren hem met het getekende papier en het kostbare sperma en daar houdt het mee op.'

'Je bent een schooier van het zuiverste water, Cornelius. Je bent een doortrapte deugniet.'

'Dat weet ik,' zei ik weer grinnikend. Maar de logica van mijn eigen argumenten was onweerlegbaar. Het plan was waterdicht. A.R. Woresley, die zeker geen dwaas was, begon zich dat te realiseren. Ik kon zijn weerstand zien afnemen.

'En het meisje,' zei hij. 'Wie was dat?'

'Zij is het derde lid van onze organisatie. Ze is ons officiële lokaas.'

'Aanlokkelijk aas,' zei hij.

'Daarom heb ik haar uitgekozen.'

'Ik zal me generen als ik haar weer moet ontmoeten, Cornelius.'

'Nee, dat zult u niet,' zei ik. 'Het is een geweldig meisje. U zult gesteld op haar raken. En ze is toevallig ook op u gesteld.'

'Onzin. Waarom denk je dat?'

'Ze zei dat u absoluut zonder enig voorbehoud de beste was. Ze zei dat ze van nu af aan alleen nog maar mannen als u wil.'

'Zei ze dat? Heeft ze dat echt gezegd, Cornelius?'

'Woord voor woord.'

A.R. Woresley straalde.

'Ze zei dat bij u vergeleken alle mannen op eunuchen leken,' zei ik om het er nog eens dik op te leggen.

A.R. Woresleys gezicht begon te gloeien van genoegen. 'Je neemt me toch niet in de maling, Cornelius?'

'Vraag het haar zelf wanneer u haar ontmoet.'

'Nou, nou, nou,' zei hij stralend terwijl hij met de achterkant van zijn vingers zijn snor zachtjes opstreek. 'Nou, nou, nou,' zei hij weer. 'En mag ik misschien weten hoe die opmerkelijke jongedame heet?'

'Yasmin Howcomely. Ze is half Perzisch.'

'Fascinerend.'

'U moet geweldig zijn geweest,' zei ik.

'Ik heb zo mijn dagen, Cornelius,' zei hij. 'Ja, ja, ik heb inderdaad zo mijn dagen.' Hij leek de cantharidekever helemaal vergeten te zijn. Hij wilde de roem nu helemaal voor hemzelf en ik liet het maar zo.

'Ze kan niet wachten tot ze u weer ontmoet.'

'Fantastisch,' zei hij, terwijl hij in zijn handen wreef. 'En ze gaat lid worden van onze kleine organisatie, zeg je?'

'Ongetwijfeld. U zult haar van nu af aan heel vaak zien.'

'Fijn,' zei hij. 'Fijn zo.'

En zo trad A.R. Woresley toe tot de firma. Zo gemakkelijk was dat. En wat meer was, hij was een man van zijn woord.

Hij was akkoord om de publikatie van zijn ontdekking uit te stellen.

Hij was akkoord om Yasmin en mij in ieder opzicht te steunen.

Hij was akkoord om voor ons een draagbare container voor vloeibare stikstof te bouwen die we op onze reizen mee konden nemen.

Hij was akkoord om me de precieze werkwijze te leren om het semen te verdunnen en te verdelen over de strootjes om het in te vriezen.

Yasmin en ik zouden de reizigers en inzamelaars zijn.

A.R. Woresley zou op zijn post in Cambridge blijven maar zou tegelijkertijd op een geschikte en geheime plaats een grote centrale vriescel plaatsen, het Semenhuis.

Van tijd tot tijd zouden de reizigers, Yasmin en ik, met de buit terugkeren en hem van de draagbare kofferdiepvriezer overbrengen naar het Semenhuis.

Ik zou voor dat alles ruime fondsen ter beschikking stellen. Ik zou alle reiskosten, hotels enzovoorts betalen terwijl Yasmin en ik onderweg waren. Ik zou Yasmin een royaal kleedgeld geven zodat ze een grootse uitzet zou kunnen aanschaffen.

Het was allemaal zo klaar als een klontje.

Ik zei de universiteit vaarwel evenals Yasmin.

Ik zocht en vond een huis, niet ver van dat van A.R. Woresley. Het was een eenvoudig rood bakstenen geval met vier slaapkamers en twee vrij grote woonkamers, Dunroamin geheten. Daar zouden Yasmin en ik wonen in de periode van voorbereiding, en het zou ook een geheim laboratorium voor A.R.

Woresley worden. Ik gaf een heleboel geld uit om het laboratorium uit te rusten met apparatuur om stikstof vloeibaar te maken. Ik meubileerde het huis. Yasmin en ik trokken erin. Maar vanaf dat moment was onze relatie strikt zakelijk.

Binnen een maand had A.R.Woresley onze draagbare vloeibare-stikstofcontainer gebouwd. Hij had dubbele vacuüm wanden van aluminium en allerlei keurige kleine vakjes en andere voorzieningen voor de kleine strootjes met semen. Hij had de maat van een grote koffer en, wat belangrijker is, zag eruit als een koffer omdat de buitenkant met leer bekleed was.

Een tweede, kleinere koffer bevatte compartimenten voor ijs, een handmixer en flessen voor glycerol, eierdooier en magere melk. Bovendien een microscoop om onderweg de potentie van vers verzameld sperma te onderzoeken. Alles werd met bijzondere zorg voorbereid.

Tenslotte begon A.R.Woresley het Semenhuis te bouwen in de kelder van het huis.

13

Begin juni 1919 waren we bijna klaar om van start te gaan. Ik zeg bijna, omdat we het nog steeds niet eens waren over de namenlijst. Wie zouden de grote mannen in de wereld zijn die vereerd moesten worden met een bezoek van Yasmin – en, verscholen op de achtergrond, van mij? We kwamen met zijn drieen vaak bij elkaar op 'Dunroamin' om dit netelige probleem te bespreken. De koningen waren gemakkelijk. Die schreven we het eerst op.

	huidige leeftijd	
KONING ALBERT DER BELGEN	huidige leeftijd	45
KONING BORIS VAN BULGARIJE	" "	25
KONING CHRISTIAAN VAN DENEMARKEN	" "	49
KONING ALEXANDER VAN GRIEKENLAND	" "	23
KONING VICTOR EMANUEL VAN ITALIË	" "	50
KONING HAAKON VAN NOORWEGEN	" "	47
KONING FERDINAND VAN ROEMENIË	" "	54
KONING ALFONSO VAN SPANJE	" "	33
KONING GUSTAAF VAN ZWEDEN	" "	61
KONING PETER VAN JOEGOSLAVIË	" "	75

Nederland deed niet mee omdat het alleen maar een koningin had. Portugal deed niet mee omdat de monarchie met de revolutie van 1910 omvergeworpen was. En Monaco was niet de moeite waard. Bleef alleen nog over onze koning George V. Na een langdurige discussie besloten we de ouwe baas erbuiten te laten. Het was allemaal een beetje te dicht bij huis voor onze gemoedsrust en bovendien had ik met speciaal deze heer heel andere plannen, zoals u dadelijk zult zien. Maar we besloten toch EDWARD, PRINS VAN WALES op de lijst te zetten als mogelijke reserve. Yasmin kon hem met de cantharidekever op ieder gewenst moment te grazen nemen. Ze kon er eigenlijk nauwelijks mee wachten.

De lijst van grote mannen en genieën was moeilijker samen te stellen. Een paar van hen, zoals Puccini en Joseph Conrad en Richard Strauss, lagen voor de hand. Net als Renoir en Manet, twee nogal oude kandidaten die duidelijk nogal spoedig bezocht moesten worden. Maar de moeilijkheden lagen dieper. We moesten beslissen wie van de huidige (1919) grote en beroemde mannen over tien, twintig en zelfs vijftig jaar nog groot en beroemd zouden zijn.

En dan was er ook nog een moeilijker groep, de jongeren die op het moment een klein beetje beroemd waren maar waarvan het ernaar uitzag dat ze later groot en beroemd zouden worden. Dat was een beetje gokken. Het was ook een kwestie van een goede neus en een gezond oordeel. Zou de jonge James Joyce bijvoorbeeld, die nog maar zevenendertig was, door latere generaties als genie beschouwd worden? Ik stemde voor. Evenals A. R. Woresley. Yasmin had nog nooit van hem gehoord. Met twee stemmen tegen een zetten we hem op de lijst.

Tenslotte besloten we twee aparte lijsten te maken. De eerste zou prioriteit krijgen. De tweede zou de reserves bevatten. We zouden aan de reserves pas toekomen nadat we de jongens met prioriteit afgehandeld hadden. We zouden ook op de leeftijd letten. De ouderen zouden zo veel mogelijk als eersten in aanmerking komen, om te verhinderen dat ze de laatste adem uitbliezen voor we aan ze toekwamen.

We kwamen overeen dat de lijsten ieder jaar bijgewerkt zouden worden om nieuwe reserves die plotseling op de voorgrond getreden waren, te herwaarderen.

Onze prioriteitslijst, samengesteld in juni 1919, zag er als volgt uit, in alfabetische volgorde:

BELL, Alexander Graham	huidige leeftijd	72
BONNARD, Pierre	" "	52
CHURCHILL, Winston	" "	45
CONRAD, Joseph	" "	62

DOYLE, Arthur Conan	"	"	60
EINSTEIN, Albert	"	"	40
FORD, Henry	"	"	56
FREUD, Sigmund	"	"	63
KIPLING, Rudyard	"	"	54
LAWRENCE, David Herbert	"	"	34
LAWRENCE, Thomas Edward	"	"	31
LENIN, Wladimir	"	"	49
MANN, Thomas	"	"	45
MARCONI, Guglielmo	"	"	45
MATISSE, Henri	"	"	50
MONET, Claude	"	"	79
MUNCH, Edvard	"	"	56
PROUST, Marcel	"	"	48
PUCCINI, Giacomo	"	"	61
RACHMANINOW, Sergej	"	"	46
RENOIR, Auguste	"	"	78
SHAW, George Bernard	"	"	63
SIBELIUS, Jan	"	"	54
STRAUSS, Richard	"	"	55
STRAWINSKY, Igor	"	"	37
YEATS, William Butler	"	"	54

En hier was onze tweede lijst met een aantal tamelijk speculatieve jongere mannen en een paar randgevallen:

AMUNDSEN, Roald	huidige leeftijd		47
BRAQUE, Georges	"	"	37
CARUSO, Enrico	"	"	46
CASALS, Pablo	"	"	43
CLEMENCEAU, Georges	"	"	79
DELIUS, Frederick	"	"	57
FOCH, Maréchal Ferdinand	"	"	68
GANDHI, Mohandas	"	"	50
HAIG, General Sir Douglas	"	"	58
JOYCE, James	"	"	37
KANDINSKY, Wassily	"	"	53
LLOYD GEORGE, David	"	"	56

Natuurlijk zaten er in deze lijsten fouten en omissies. Er bestaat geen moeilijker spel dan te proberen een echt en blijvend genie tijdens zijn leven te herkennen. Vijftig jaar na zijn dood wordt het veel gemakkelijker. Maar doden hadden voor ons geen nut. En nog een ding. Rudolf Valentino was niet opgenomen omdat we dachten dat hij een genie was. Het was een commerciële beslissing. We gokten erop dat het semen van een man die zo'n gigantische en fanatieke schare volgelingen had, in de komende tijd een goed verkoopsucces zou worden. We dachten ook niet dat Woodrow Wilson of Caruso een genie was. Maar het waren wereldberoemde personen en dat moesten we ook in overweging nemen.

Europa moesten we natuurlijk als eerste in de tang nemen. De lange reis naar Amerika moest even wachten. We hingen dus aan een muur van de woonkamer een enorme kaart van Europa en overdekten die met vlaggetjes. Iedere vlag gaf de plaats van een kandidaat aan: rode vlaggen voor de prioriteiten, gele voor de tweede groep, met op ieder vlaggetje naam en adres. Zo konden Yasmin en ik onze reizen geografisch plannen, gebied voor gebied, in plaats van van de ene kant van Europa naar de andere te racen en dan weer terug. Frankrijk had de meeste vlaggetjes van allemaal en Parijs en omgeving zat er letterlijk mee vol.

'Wat jammer dat zowel Degas als Rodin twee jaar geleden overleden zijn,' zei ik.

'Ik wil eerst de koningen doen,' zei Yasmin. We zaten met zijn drieën in de woonkamer van 'Dunroamin' en bespraken de volgende stappen.

'Waarom de koningen?'

'Omdat ik een geweldige aandrang heb door vorsten verkracht te worden,' zei ze.

'Je toont wel erg weinig respect,' zei A.R.Woresley.

'Waarom zou ik niet kiezen?' zei ze. 'Ik ben degene die de beuk krijgt, niet jullie. Ik zou eerst de koning van Spanje willen doen. Dan kunnen we naar Italië overwippen en die ouwe Victor Emanuel pakken, daarna Joegoslavië, dan Griekenland enzovoorts. In een paar weken hebben we ze allemaal gehad.'

'Mag ik misschien vragen hoe jullie toegang denken te krijgen tot al die koninklijke paleizen?' vroeg A.R.Woresley me. 'Yasmin kan niet gewoon aankloppen bij de voordeur en verwachten door de koning in privé-audiëntie te worden ontvangen. En vergeet niet dat het privé moet zijn want anders lukt het niet.'

'Dat zal niet zo veel problemen opleveren,' zei ik.

'Het is volslagen onmogelijk,' zei Woresley. 'Ik vrees dat we die koningen maar moeten vergeten.'

Ik was al een paar weken met dit probleem bezig en ik had mijn antwoord klaar. 'Zo gemakkelijk als wat,' zei ik. 'We gebruiken koning George de Vijfde als lokaas. Daarmee komt ze er wel in.'

'Doe niet zo belachelijk, Cornelius.'

Ik trok een la open en haalde er een paar velletjes briefpapier uit. 'Laten we eens aannemen dat we eerst de koning van Spanje nemen,' zei ik, terwijl ik door de velletjes bladerde. 'Ah, daar hebben we hem. Mijn beste Alfonso...' Ik gaf de brief aan Woresley. Yasmin stond op uit haar stoel om over zijn schouder mee te kijken.

'Wat is dit in godsnaam?' riep hij uit.

'Het is een bijzonder persoonlijke brief van koning George de Vijfde aan koning Alfonso,' zei ik. En dat was het ook.

Bovenaan het briefpapier stond in het midden een in zwaar rood reliëf uitgevoerd koninklijk wapen, en aan de rechterkant, ook in rood reliëf, stond eenvoudig BUCKINGHAM PALACE, LONDON. Daaronder, in een redelijke imitatie van het vloeiende handschrift van de koning, had ik het volgende geschreven:

Mijn beste Alfonso

Door deze brief zou ik een zeer goede vriendin van me bij je willen introduceren, lady Victoria Nottingham. Ze reist in haar eentje naar Madrid om een kleine kwestie op te helderen die te maken heeft met een landgoed dat haar ten deel is gevallen via haar Spaanse grootmoeder van moederszijde.

Ik verzoek je lady Victoria kort en in absolute afzonde-*ring te willen ontvangen. Ze heeft enige problemen met de plaatselijke autoriteiten over de eigendomsaktes en ik ben ervan overtuigd dat wanneer je zelf, nadat ze haar proble-men aan je heeft uitgelegd, de juiste mensen benadert, alles voor haar voorspoedig zal verlopen.*

Mijn beste Alfonso, ik neem je heel diep in vertrouwen wanneer ik je vertel dat lady Victoria een wel bijzonder dierbare vriendin van me is. Laat ik het daar maar bij laten en er verder het zwijgen toedoen. Maar ik weet dat ik erop kan vertrouwen dat je deze informatie volledig geheim houdt.

Wanneer je deze brief ontvangt zal de dame in kwestie in het Ritz Hotel in Madrid verblijven. Wees zo goed haar een bericht te sturen dat je haar zo spoedig mogelijk een privé-audiëntie toestaat.

Verbrand deze brief na lezing en stuur me geen ant-woord.

Ik sta altijd volledig tot je dienst.

> *Met de allerhartelijkste groeten,*
> *George RI*

Zowel A.R. Woresley als Yasmin keken me met uitpuilende ogen aan.

'Hoe ben je aan dit briefpapier gekomen?' vroeg Woresley.

'Ik heb het laten drukken.'

'Heb je dit zelf geschreven?'

'Ja, en ik ben er nogal trots op. Het is een redelijke imitatie van het handschrift van de koning. En de handtekening is bijna perfect. Ik heb er dagen op geoefend.'

'Ze zullen je als vervalser oppakken! Ze zullen je in de bak gooien!'

'Nee, dat zullen ze niet,' zei ik. 'Alfonso zal het niemand durven vertellen. Zien jullie dan niet hoe goed het in elkaar zit? Onze grote en edele koning laat doorschemeren dat hij een heimelijke verhouding heeft met Yasmin. Dat, mijn waarde heer, is zeer, zeer vertrouwelijk en gevaarlijk materiaal. En vergeet niet dat de Europese koningshuizen met elkaar de meest samenklittende en exclusieve club ter wereld vormen. Ze werken samen. Op de een of andere krankzinnige manier zijn ze stuk voor stuk ergens familie van elkaar. Ze zijn door elkaar geknoedeld als spaghetti. Nee, er is niet de geringste kans dat Alfonso de koning van Engeland laat zitten. Hij zal Yasmin onmiddellijk toelaten. Hij zal er alles voor overhebben om haar te zien. Hij zal deze vrouw, die de geheime maîtresse van die goeie George de Vijfde is, eens goed willen bekijken. Je moet je ook realiseren dat onze koning de meest gerespecteerde van alle vorsten is. Hij heeft net de oorlog gewonnen.'

'Cornelius,' zei A.R.Woresley, 'je maakt me doodsbang. Je zorgt er nog voor dat we allemaal achter slot en grendel komen.'

'Ik vind het fantastisch,' zei Yasmin. 'Het is briljant. Het moet wel lukken.'

'Hoe moet dat als een secretaris de brief opent?' vroeg Woresley.

'Dat zal niet gebeuren,' zei ik. Ik haalde een stapeltje enveloppen uit de la, zocht de goede op en gaf die aan Woresley. Het was een lange witte envelop van uitstekende kwaliteit met in de linker bovenhoek het in rood reliëf uitgevoerde koninklijke wapen en BUCKINGHAM PALACE in de rechter bovenhoek. In het handschrift van de koning had ik erop geschreven:

> Zijne Majesteit koning Alfonso XIII.
> Persoonlijk en vertrouwelijk. Alleen
> door ZM zelf te openen.

'Dat zou voldoende moeten zijn,' zei ik. 'Ik zal de envelop zelf afleveren bij het Oriente Paleis in Madrid.'

A.R.Woresley opende zijn mond om iets te zeggen en liet hem weer dichtvallen.

'Ik heb voor elk van de andere koningen ongeveer dezelfde brief,' zei ik. 'Er zijn natuurlijk een aantal kleine verschillen. Haakon van Noorwegen is bijvoorbeeld getrouwd met de zuster van koning George, Maud – ik durf te wedden dat jullie dat niet wisten – en daarom eindigt de brief met "Doe mijn allerhartelijkste groeten aan Maud, maar ik vertrouw erop dat je van deze kleine zakelijke affaire absoluut geen melding maakt." Enzovoorts enzovoorts. Het kan niet misgaan, mijn beste Arthur.' Ik noemde hem nu voor het eerst bij zijn voornaam.

'Het lijkt erop dat je je huiswerk gedaan hebt, Cornelius.' Zelf weigerde hij, zoals alle onderwijzers en docenten, mijn voornaam te gebruiken. 'Maar hoe denk je toegang te krijgen tot alle anderen, de niet-koninklijken?'

'Dat zal geen problemen geven,' zei ik. 'Er zullen niet veel mannen zijn die zullen weigeren een meisje als Yasmin te ontmoeten als ze aanklopt. *Jij* hebt dat in ieder geval niet gedaan. Ik durf te wedden dat je meteen begon te kwijlen van opwinding toen ze het lab binnenkwam.'

Dat hield hem even rustig.

'Dus we kunnen eerst de koning van Spanje nemen?' vroeg Yasmin. 'Hij is maar drieëndertig en naar zijn foto te oordelen best een lekkertje.'

'Heel goed,' zei ik. 'Eerste halte Madrid. Maar daarna moeten we naar Frankrijk. Renoir en Monet hebben de grootste voorrang. De ene is achtenzeventig en de ander negenenzeventig. Ik wil ze allebei te grazen nemen voor het te laat is.'

'Met de cantharidekever zal dat wel op hartaanvallen uitdraaien voor die ouwe knapen,' zei Yasmin.

'We zullen de dosis kleiner maken,' zei ik.

'Moet je horen,' zei A.R.Woresley. 'Ik wil geen deel hebben aan de moord op Renoir of Monet. Ik wil geen bloed aan mijn handen.'

'Je zal een heleboel kostbaar sperma aan je handen hebben, en verder niets,' zei ik. 'Laat dat maar aan ons over.'

14

Alles was klaar. Yasmin en ik pakten onze koffers en vertrokken naar Madrid. We hadden de zo belangrijke vloeibare-stikstofkoffer, de kleinere koffer met de glycerol en zo, een voorraadje van de beste chocoladetruffels van Prestat en twee ons cantharidekeverpoeder bij ons. Ik moet er nog eens de nadruk op leggen dat de douane in die tijd de bagage vrijwel niet controleerde. We zouden met onze merkwaardige koffers geen moeilijkheden krijgen. We staken het Kanaal over en reisden met de Wagon-Lits naar Madrid. Alles bij elkaar kostte die reis negentien uur. In Madrid lieten we ons inschrijven bij het Ritz waar we telegrafisch kamers hadden besproken, een voor de heer Oswald Cornelius en een voor lady Victoria Nottingham.

De volgende morgen ging ik naar het Oriente Paleis, waar ik door een stel lijfwachten werd tegengehouden. Door met mijn envelop te zwaaien en te roepen: 'Dit is voor de koning!' bereikte ik de hoofdingang. Ik trok aan de bel. Een lakei opende een van de deuren. Daarna zei ik een Spaanse zin die ik uit mijn hoofd had geleerd en die betekende: 'Dit is voor Zijne Majesteit koning Alfonso van koning George van Engeland. Het is uitermate dringend.' Ik vertrok weer.

In het hotel teruggekeerd ging ik in Yasmins kamer een boek zitten lezen om de ontwikkelingen af te wachten.

'Wat doen we als hij het land uit is?' zei ze.

'Dat is hij niet. De koninklijke standaard stond op het paleis.'

'Wat doen we als hij niet antwoordt?'

'Dat doet hij beslist. Hij zou het niet wagen het niet te doen als hij die brief op dat briefpapier gelezen heeft.'

'Maar kan hij Engels lezen?'

'Alle koningen kunnen Engels lezen. Dat hoort bij hun opvoeding. Alfonso spreekt uitstekend Engels.'

Net tegen lunchtijd klonk er een klopje op de deur. Yasmin deed open en daar stond de directeur van het hotel in eigen persoon met een gewichtige frons op zijn gezicht. Hij had een zilveren dienblad in zijn hand en daarop lag een witte envelop. 'Een dringende boodschap, my lady,' zei hij buigend. Yasmin nam de envelop aan, bedankte hem en sloot de deur.

'Scheur hem open!' zei ik.

Ze scheurde hem open en haalde er een brief uit die met de hand geschreven was op het prachtige briefpapier van het paleis.

Mijn beste lady Victoria, [stond er.] *Wij zullen u met genoegen ontvangen om vier uur deze namiddag. Ik zal uw naam aan de poortwachters doorgeven zodat u onmiddellijk zult worden toegelaten.*

Alfonso R

'Eenvoudig, nietwaar?' zei ik.

'Wat bedoelt hij met *wij*?'

'Alle vorsten hebben het over zichzelf als wij. Je hebt drie uur om je voor te bereiden om op tijd bij de paleispoort te zijn,' zei ik. 'Laten we de bonbons klaarmaken.'

Ik had van Prestat een aantal heel kleine en elegante doosjes gekregen, met elk plaats voor niet meer dan zes truffels. Het was de bedoeling dat Yasmin een doos als cadeautje aan de koning gaf. Ze moest hem zeggen: 'Ik heb voor u, sire, een kleine versnapering meegenomen. Het zijn verrukkelijke bonbons. George laat ze speciaal voor me maken.' Daarna moest ze de doos openen en met een ontwapenende glimlach zeggen: 'Staat u me toe dat ik er eentje steel? Ik kan er gewoon geen weerstand aan bieden.' Dan stopt ze er een in haar mond en pakt de gemerkte bonbon en houdt hem heel kies tussen duim en wijsvinger de koning voor met de woorden: 'Proeft u maar.' De arme man zal de verleiding niet kunnen weerstaan. Hij zal het snoep meteen opeten, net als A.R.Woresley in zijn lab. En dat is dan dat. Daarna hoeft Yasmin alleen nog maar negen minuten te vullen met koket gebabbel zonder iets los te laten over een gecompliceerde reden voor haar bezoek.

Ik haalde het cantharidekeverpoeder te voorschijn en we prepareerden de fatale truffel. 'Deze keer geen dubbele dosis,' zei

Yasmin. 'Ik wil niet dat het nodig wordt de hoedespeld te gebruiken.' Daar was ik het mee eens. Ze merkte zelf de bonbon met kleine krasjes op de bovenkant.

Het was juni en het was in Madrid heel heet. Yasmin kleedde zich zorgvuldig aan maar droeg de lichtst mogelijke kleren. Ik gaf haar uit mijn grote voorraad een rubberen geval en ze stopte het in haar tasje.

'Doe hem er in godsnaam goed op,' zei ik. 'Daar is het allemaal om te doen. En kom er na afloop als de gesmeerde bliksem mee terug. Ga regelrecht naar mijn kamer hiernaast.' Ik wenste haar succes en weg was ze.

In mijn eigen kamer maakte ik zorgvuldige voorbereidingen om het sperma, zodra het er was, te verwerken. Dit was de allereerste keer dat ik echt veldwerk deed en ik wilde dat alles precies in orde was. Ik geef toe dat ik me nerveus voelde. Yasmin was op het paleis. Ze diende de koning van Spanje cantharidekever toe en daarna zou er een ouderwetse worstelpartij volgen en ik kon niet anders doen dan hopen dat ze alles goed zou doen.

De tijd kroop. Ik was klaar met mijn voorbereidingen. Ik leunde uit het raam en keek naar de rijtuigen beneden op straat. Er kwam een of twee keer een automobiel voorbij, maar er waren er niet zo veel als in Londen. Ik keek op mijn horloge. Het was al na zessen. Ik schonk mezelf een whisky-soda in en nam hem mee naar het open raam om hem daar op te drinken. Ik hoopte steeds dat ik Yasmin voor de hotelingang uit een rijtuig zou zien stappen. Maar zien deed ik haar niet. Ik schonk mezelf nog een whisky in. Ik ging zitten en probeerde een boek te lezen. Het was nu half zeven. Ze was tweeëneenhalf uur weg. Plotseling klonk er een hard gebons op de deur. Ik stond op en deed open. Yasmin stormde met vuurrode wangen de kamer in.

'Het is me gelukt,' riep ze, terwijl ze met haar tasje zwaaide alsof het een vaandel was. 'Ik heb het! Hier zit het in!'

'Geef snel hier,' zei ik.

In het dichtgeknoopte rubberen geval dat Yasmin me overhandigde zat minstens drie cc koninklijk semen. Ik hield een druppeltje onder de microscoop om de potentie te testen. De kleine koninklijke kronkelaars kronkelden als waanzinnig rond, uitermate actief. 'Eersteklas spul,' zei ik. 'Laten we dit in de rietjes doen en bevriezen voor je iets zegt. Daarna wil ik precies horen wat er gebeurd is.'

Yasmin ging naar haar kamer om zich te baden en te verkleden. Ik ging aan de slag. A.R.Woresley en ik waren overeengekomen dat we per persoon precies vijftig rietjes zouden maken. Iedere grotere hoeveelheid zou te veel ruimte innemen in onze draagbare sperma-vrieskist. Ik begon het semen met eierdooier, magere melk en glycerol te verdunnen. Ik mengde het. Ik verdeelde het met een gekalibreerde pipet over de kleine rubber rietjes. Daarna sloot ik de rietjes af. Ik zette ze een half uur op ijs. Vervolgens stelde ik ze een paar minuten aan de stikstofdamp bloot. Tenslotte liet ik ze voorzichtig in de vloeibare stifstof zakken en sloot de container. Het was gebeurd. We hadden nu vijftig doses van het semen van de Spaanse koning, en nog wel heel krachtig ook. Het was een eenvoudige rekensom. Hij gaf ons oorspronkelijk drie cc. Drie cc bevatte ongeveer drie miljard spermatozoïden en die drie miljard zou, in vijftig doses verdeeld, een potentie van zestig miljoen spermatozoïden per dosis geven. Dat was precies drie keer het optimale aantal van A.R.Woresley van twintig miljoen per dosis. Met andere woorden, de Spaanse koninklijke rietjes waren extra krachtig. Ik was opgetogen. Ik belde een bediende en bestelde een fles Krug op ijs.

Yasmin kwam binnen en zag er koel en schoon uit. De champagne kwam op hetzelfde moment aan. We wachtten tot de bediende de fles geopend en de glazen gevuld had en de kamer weer uit was.

'Nu,' zei ik, 'moet je me alles vertellen.'

'Het was verbazend,' zei ze. 'Het ging in het begin precies zoals je gezegd had. Ik werd een enorme zaal binnengeleid waar aan alle muren Goya's en El Greco's hingen. De koning zat aan het andere eind aan een groot bureau. Hij had een gewoon pak aan. Hij stond op en kwam naar me toe om me te begroeten. Hij had een snor en zag er helemaal niet slecht uit. Hij kuste mijn hand. Och, Oswald, lieve hemel, je had moeten zien hoe hij me vleide omdat hij dacht dat ik de maîtresse van de koning van Engeland was. "Madame," zei hij, "ik ben zeer verheugd u te ontmoeten. En hoe maakt onze wederzijdse vriend het?"

"Hij heeft een beetje last van zijn jicht," zei ik, "maar verder maakt hij het uitstekend." Daarna haalde ik de truc met de bonbons uit en hij at zijn truffeltje als een brave baby en met veel smaak. "Ze zijn verrukkelijk," zei hij met volle mond. "Ik moet mijn ambassadeur een paar pond laten sturen." Toen hij het laatste stukje chocola doorslikte keek ik op mijn horloge hoe laat het was. "Neemt u alstublieft plaats," zei hij.

Er stonden in die zaal wel vier sofa's en voor ik ging zitten bekeek ik ze zorgvuldig. Ik wilde de meest zachte en praktische van de vier uitkiezen. Ik wist dat de sofa die ik uitzocht binnen negen minuten een slagveld zou worden.'

'Verstandig gedaan,' zei ik.

'Ik koos een enorm soort chaise-longue die bekleed was met paars fluweel. De koning bleef staan en tijdens ons gesprek liep hij de kamer op en neer met zijn handen op zijn rug en hij deed zijn best er koninklijk uit te zien.

Ik zei: "Onze wederzijdse vriend heeft me gevraagd u te vertellen, sire, dat, mocht u zelf ooit enige vertrouwelijke hulp nodig hebben in zijn land, u volledig op hem kunt rekenen."

"Daar zal ik aan denken," zei hij.

"Ik heb nog een andere boodschap van hem voor u, Majesteit."

"Hoe luidt die?"

"Belooft u dat u niet boos op me zult zijn als ik het u vertel?"

"Natuurlijk niet, madame. Vertelt u me rustig wat hij nog meer zei."

"Hij zei, zeg maar tegen die knappe Alfonso dat hij met zijn handen van mijn meisje afblijft. Dat is woord voor woord wat hij zei, Majesteit." Kleine Alfonso lachte en klapte in zijn handen en zei: "Madame, ik zal zijn wensen respecteren, maar niet dan met de grootste moeite." '

'Yasmin,' zei ik, 'je bent een slimme duivelin.'

'Oh, het was zo leuk,' zei ze. 'Ik vond het zalig kat en muis met hem te spelen. Hij was waanzinnig nieuwsgierig naar mijn zogenaamde verhouding maar hij durfde het er niet helemaal over te hebben. Hij bleef er maar naar vissen. Zo zei hij: "Ik neem aan dat u een huis in Londen heeft?"

"Natuurlijk," zei ik. "Ik heb in Londen een eigen huis waar ik gewoonlijk ontvang. En dan heb ik een klein en heel discreet huisje in Windsor Great Park waar een bepaald iemand me kan komen opzoeken wanneer hij uit rijden is. En ik heb een boerderijtje op Sandringham waar die bepaalde persoon weer even kan komen binnenvallen voor een kopje thee wanneer hij op fazantejacht is. Zoals u waarschijnlijk wel weet is hij gek op jagen."

"Dat weet ik," zei Alfonso. "En naar ik hoor is hij de beste jager van Engeland."

"Ja," zei ik, "en in meer dan één opzicht, Majesteit."

"Ha!" zei hij. "Ik zie al dat u een grappenmaakster bent." '

'Lette je op de tijd?' vroeg ik Yasmin.

'Nou en of. Ik ben vergeten wat hij precies zei toen het moment aangebroken was, maar het leuke is dat hij midden in een zin verstijfde, net als Woresley in het lab. Daar gaat ie, zei ik in mijzelf. Maak je borst maar nat.'

'Besprong hij je?'

'Nee, dat deed hij niet. Je moet niet vergeten dat Woresley een dubbele dosis gekregen had.'

'Oh ja.'

'Hij stond dus voor me toen hij verstijfde en hij droeg een nauwe broek zodat ik precies kon zien wat er daar gebeurde. Op datzelfde moment vertelde ik hem dat ik de handtekeningen van de groten der aarde verzamelde en vroeg hem of hij zijn handtekening op het briefpapier van het paleis wilde geven. Ik stond op en liep zelf naar zijn bureau, pakte een velletje en wees hem waar hij moest tekenen. Het ging te gemakkelijk. De arme man wist nauwelijks wat hij deed. Hij tekende en ik stopte het papier in mijn tasje en ging weer zitten. Weet je, Oswald, je kan ze werkelijk alles laten doen wat je maar wilt als je ze precies op het moment dat het poeder begint te werken aanpakt. Ze zijn zo verbaasd en gegeneerd door wat daar zo plotseling gebeurt dat ze absoluut alles zullen doen. We zullen nooit problemen krijgen met het verzamelen van die handtekeningen. Ik ging dus weer op de sofa zitten en Alfonso stond daar voor me terwijl hij me aanstaarde en hij bleef maar slikken waardoor zijn adamsappel op en neer sprong. Zijn gezicht was ook rood aangelopen en hij begon diep adem te halen. "Gaat u toch zitten, Majesteit," zei ik, terwijl ik naast me op de sofa klopte. Hij kwam naast me zitten. Het slikken en staren en wiebelen ging nog ongeveer een minuut door en ik kon zien dat onder invloed van het poeder zijn begeerte op ontstellende wijze toenam. Het was alsof stoom een ketel hoe langer hoe meer onder druk zette en de stoom alleen door de veiligheidsklep kon ontsnappen. En ik was die veiligheidsklep. Als hij mij niet kreeg zou hij ontploffen. Plotseling bracht hij er hortend en nogal stijf uit: "Ik zou willen dat u uw kleren verwijderde, madame."

"Oh, sire!" riep ik, en legde mijn handen op mijn borst. "Wat zegt u daar?"

"Trek ze uit," zei hij rochelend.

"Maar dan zult u me pakken, Majesteit!" riep ik.

"Laat u me alstublieft niet wachten," rochelde hij verder.

"Als u me wilt pakken, sire, word ik zwanger en komt onze wederzijdse vriend te weten dat er tussen ons iets gebeurd is. Hij zal zo boos zijn dat hij oorlogsschepen zal sturen om uw steden te beschieten."

"Je moet hem zeggen dat hij je zwanger gemaakt heeft. Schiet nu op, ik kan niet langer wachten!"

"Hij zal weten dat hij het niet was, Majesteit, want hij en ik nemen altijd voorzorgsmaatregelen."

"Neem dan nu ook die voorzorgsmaatregelen!" zei hij bars. "En spreek me alstublieft niet tegen, madame!" '

'Dat heb je schitterend gedaan,' zei ik tegen Yasmin. 'Dus je hebt hem daarna dat ding aangedaan?'

'Dat gaf geen probleem,' zei ze. 'Het was gemakkelijk. Met Woresley moest ik een heel gevecht leveren maar deze keer was het zo gemakkelijk als een theemuts over de theepot schuiven.'

'En daarna?'

'Het zijn vreemde types, die vorsten,' zei Yasmin. 'Ze kennen een aantal kunstjes waar wij gewone stervelingen nog nooit van gehoord hebben.'

'Zoals?'

'Nou,' zei ze, 'hij beweegt bijvoorbeeld niet. Ik veronderstel dat de theorie is dat koningen geen handwerk verrichten.'

'Hij heeft jou dus al het werk laten doen?'

'Ik mocht me ook niet bewegen.'

'Doe niet zo dwaas, Yasmin. Er bestaat niet zoiets als statische copulatie.'

'Voor koningen wel,' zei ze. 'Luister maar naar wat er nou komt. Je zal je oren niet geloven. Je zal gewoon niet geloven dat zoiets bestaat.'

'Wat voor iets?' zei ik.

'Ik heb je al verteld dat ik een chaise-longue had uitgekozen die met paars fluweel was bekleed,' zei Yasmin.

'Ja.'

'Nou, toen bleek dat ik precies de goede had uitgekozen. Die verdraaide sofa was een soort speciaal geconstrueerd koninklijk stoeiterrein. Het was de meest fantastische ervaring die ik ooit gehad heb. Er zat iets onder, Joost mag weten wat, maar het was een soort machine en toen de koning aan een hendel trok begon de hele sofa op en neer te hobbelen.'

'Je maakt de kachel met me aan.'

'Ik maak *niet* de kachel met je aan!' riep ze. 'Ik zou het niet eens kunnen verzinnen als ik dat wilde en dat weet je verdomd goed.'

'Wil je me echt vertellen dat er een *machine* onder de sofa zat? Heb je hem gezien?'

'Natuurlijk niet. Maar ik heb hem wel gehoord. Hij maakte een godsgruwelijk ratelend geluid.'

'Was het dan een benzinemotor?'

'Nee, het was geen benzinemotor.'

'Wat was het dan?'

'Een opwindmotor,' zei ze.

'Een *opwindmotor*! Dat is onmogelijk! Hoe wist je dat het een opwindmotor was?'

'Omdat hij toen hij afgelopen was af moest stappen en het ding weer moest opwinden met een slinger.'

'Ik geloof er helemaal geen woord van,' zei ik. 'Wat voor een slinger?'

'Een grote slinger,' zei ze, 'zoiets als de slinger om een auto te starten, en toen hij hem opwond deed hij *tik-tik-tik*. Daardoor wist ik dat het een opwindmotor was. Dat klikkende geluid hoor je altijd als je een opwindmotor opwindt.'

'Jezus,' zei ik. 'Ik geloof het nog steeds niet.'

'Je weet niet zo veel van koningen af,' zei Yasmin. 'Koningen zijn anders. Ze vervelen zich ontzettend gauw en daarom proberen ze altijd dingen te verzinnen om zich te amuseren. Denk maar eens aan die gekke koning van Beieren die in het midden van iedere stoel aan zijn eettafel een gat had laten boren. En halverwege de maaltijd, met allemaal gasten in prachtige dure gewaden, zette hij dan een geheime kraan open en spoten kleine fonteintjes water door de gaten naar boven. Heel krachtige stralen koud water tegen hun achterste. Koningen zijn gek.'

'Ga verder over die opwindende sofa,' zei ik. 'Was het verbazend en geweldig?'

Yasmin nam een slokje champagne en antwoordde me niet meteen.

'Stond de naam van de fabrikant erop?' vroeg ik. 'Waar kan ik er een kopen?'

'Ik zou er geen kopen als ik jou was,' zei ze.

'Waarom niet?'

'Het is het niet waard. Het is niet meer dan een stuk speelgoed. Het is speelgoed voor kinderachtige koningen. De enige zin is dat het je volkomen verrast. Toen hij begon te werken kreeg ik de schrik van mijn leven. "Hé," riep ik. "Wat zullen we nou krijgen?"

"Stilte!" riep de koning. "Het is verboden te spreken!"

Er kwam een hard snorrend geluid onder die verdomde sofa vandaan en het hele ding trilde verschrikkelijk. En tegelijkertijd hobbelde het op en neer. Echt, Oswald, het leek wel of je paardreed op het dek van een schip op een ruwe zee. Oh God, dacht ik, ik word zeeziek. Maar dat gebeurde niet en toen hij hem voor de tweede keer opwond begon ik de slag te pakken te krijgen. Want kijk, eigenlijk was het ook zoiets als paardrijden. Je moest meegeven. Je moest met het ritme meegeven.'

'Dus je begon het leuk te vinden?'

'Zo ver zou ik niet willen gaan. Maar het heeft zijn voordelen. Je wordt bijvoorbeeld nooit moe. Voor bejaarden zou het fantastisch zijn.'

'Alfonso is nog maar drieëndertig.'

'Alfonso is gek,' zei Yasmin. 'Op een gegeven moment, toen

hij de motor aan het opwinden was, zei hij: "Meestal laat ik dit door een bediende doen." Allemachtig, dacht ik, die malle mafkees is goed gek.'

'Hoe ben je weggekomen?'

'Dat was niet gemakkelijk,' zei Yasmin. 'Hij hoefde helemaal geen flikker uit te voeren, weet je, behalve dat ding zo nu en dan op te winden, en daarom werd hij niet moe. Na ongeveer een uur had ik er genoeg van. "Zet hem nou maar af," zei ik. "Ik heb er genoeg van."

"We gaan door tot ik het zeg," zei hij.

"Doe nou niet zo," zei ik. "Kom nou, hou ermee op."

"Ik ben hier de enige die bevelen geeft," zei hij.

Vooruit dan maar, dacht ik. Dan maar met de hoedespeld.'

'Heb je hem gebruikt? Heb je hem echt gestoken?' vroeg ik.

'Nou en of ik dat gedaan heb,' zei ze. 'Hij ging er bijna vijf centimeter in!'

'Wat gebeurde er toen?'

'Hij ging bijna tegen het plafond. Hij gaf een doordringende gil en rolde op de grond. "Je hebt me gestoken. Je hebt me gestoken! Hoe durf je." '

'Geweldig,' zei ik tegen Yasmin. 'Fantastisch. Schitterend. Ik wou dat ik het gezien had. Bloedde hij?'

'Ik weet het niet en het kan me niet schelen ook, maar ik had tegen die tijd volkomen genoeg van hem en ik werd wat pissig en ik zei: "Luister eens naar me, en zet je oren goed open. Onze wederzijdse vriend zou je goed te grazen nemen als hij er ooit over hoorde. Je hebt me verkracht, dat realiseer je je toch wel, hè?" Hij zei geen stom woord meer. "Wat bezielde je in godsnaam?" zei ik. Ik kleedde me zo snel mogelijk aan en rekte de tijd. "Hoe kreeg je het in je hoofd zoiets met me te doen?" schreeuwde ik. Ik moest wel schreeuwen want die verdomde sofa ratelde er achter me nog steeds op los.

"Ik weet het niet," zei hij. Hij was plotseling heel bedeesd en zoet geworden. Toen ik klaar was om weg te gaan ging ik naar hem toe en kuste hem op zijn wang en zei: "Zullen we maar niet gewoon vergeten dat het gebeurd is?" En terwijl ik dat zei trok ik snel dat plakkerige rubber geval van zijn koninklijke kluif en verliet op waardige wijze de zaal.'

'Heeft iemand geprobeerd je tegen te houden?' vroeg ik.
'Geen hond.'

'Een tien met een griffel,' zei ik. 'Je hebt fantastisch werk ge-leverd. Dat briefpapier kan je beter aan mij geven.' Ze overhan-digde me het velletje briefpapier van het paleis met de hand-tekening erop en ik borg het zorgvuldig op. 'Ga nou je koffers maar pakken,' zei ik. 'We pakken de eerste trein die Madrid verlaat.'

15

In een half uur hadden we onze koffers gepakt en met het hotel afgerekend, en waren we op weg naar het station. De volgende halte was Parijs.

Het liep als gesmeerd. We namen de slaaptrein naar Parijs en kwamen daar op een fonkelende junimorgen aan. We namen kamers in de Ritz. 'Waar je ook naartoe gaat,' zei mijn vader altijd, 'als je het niet zeker weet moet je in de Ritz logeren.' Wijze woorden. Yasmin kwam op mijn kamer om onder het genot van een vroege lunch onze strategie te bespreken: een koude kreeft de man en een fles Chablis. De lijst met kandidaten die prioriteit hadden, lag voor me op tafel.

'Wat er ook gebeurt, eerst zijn Renoir en Monet aan de beurt,' zei ik. 'In die volgorde.'

'Waar kunnen we ze vinden?' vroeg Yasmin.

Het is nooit moeilijk de verblijfplaats van beroemdheden te vinden. 'Renoir is in Essoyes,' zei ik. 'Dat is een klein plaatsje ongeveer honderdtachtig kilometer ten zuidwesten van Parijs, tussen Champagne en Bourgogne. Hij is nu zevenentachtig en ik heb gehoord dat hij in een rolstoel rijdt.'

'Jezus Christus, Oswald, ik ga een arme stakker in een rolstoel geen cantharidekever voeren!' zei Yasmin.

'Volgens mij zal hij het te gek vinden,' zei ik. 'Op een beetje reumatiek na is er niets met hem aan de hand. Hij schildert nog steeds. Hij is ongetwijfeld de beroemdste levende schilder van het moment en ik zal je nog iets zeggen. In de hele kunstgeschiedenis heeft geen levende kunstenaar ooit zulke hoge prijzen voor zijn schilderijen gekregen als Renoir. Het is een reus. Over tien jaar kunnen we zijn rietjes voor een fortuin verkopen.'

'Waar is zijn vrouw?'

'Dood. Het is een eenzame oude man. Je zal hem ontiegelijk opvrolijken. Als hij je ziet zal hij waarschijnlijk meteen een naaktportret van je willen maken.'

'Dat lijkt me wel leuk.'

'Aan de andere kant heeft hij een model, Dédée, waar hij helemaal gek op is.'

'Daar zal ik snel mee afrekenen,' zei Yasmin.

'Als je het spel goed speelt geeft hij je misschien nog wel een schilderij ook.'

'Hé, dat lijkt me ook wel leuk.'

'Doe je best maar,' zei ik.

'En Monet?' vroeg ze.

'Dat is ook een eenzame oude man. Hij is negenenzeventig, een jaar ouder dan Renoir, en hij leeft als een kluizenaar in Giverny. Dat is hier vlakbij. Net buiten Parijs. Hij krijgt maar heel weinig bezoek. Ik heb gehoord dat Clemenceau zo nu en dan even langskomt, maar verder bijna niemand. Jij zal een beetje zon in zijn leven brengen. En misschien nog een doek? Een landschap van Monet? Die dingen worden later honderdduizenden waard. Ze zijn al duizenden waard.'

De mogelijkheid om een schilderij van een van deze kunstenaars of van allebei te krijgen wond Yasmin behoorlijk op. 'Voor we klaar zijn zullen we heel wat schilders bezocht hebben,' zei ik. 'Je zou een verzameling kunnen beginnen.'

'Dat is een heel goed idee,' zei ze. 'Renoir, Monet, Matisse, Bonnard, Munch, Braque en alle anderen. Ja, het is een geweldig idee. Dat moet ik onthouden.'

De kreeften waren uit de kluiten gewassen en verrukkelijk, met enorme klauwen. De Chablis was ook goed. Een Grand Cru Bougros. Ik ben verzot op goede Chablis, niet alleen op de beendroge Grand Crus maar ook op de Premiers Crus die iets fruitiger zijn. Deze Bougros was zo droog als maar even kon. Yasmin en ik bespraken onder het eten en drinken onze strategie. Naar mijn mening zou geen man het in zijn hoofd halen een jongedame af te wijzen die de charmes en ontstellende schoonheid van Yasmin bezat. Geen man, hoe oud ook, zou in staat zijn haar met onverschilligheid te behandelen. Waar we ook gingen kon ik de bewijzen daarvan waarnemen. Zelfs de beleefde receptionist met het uitgestreken gezicht was helemaal hoteldebotel geraakt toen hij Yasmin voor zich zag staan. Ik hield hem goed in de gaten en ik had dat beroemde vonkje precies in het midden van de pupil van elk van zijn ravezwarte ogen zien oplichten, en toen glipte zijn tong naar buiten en begon over zijn bovenlip te strijken en zijn vingers speelden doelloos met onze registratieformulieren, en tenslotte gaf hij ons nog de verkeerde sleutels ook. Onze Yasmin was een sprankelend en met seks doordrenkt schepsel, op zich al een soort menselijke cantharide-kever, en, zoals gezegd, geen man ter aarde zou haar met een kluitje in het riet sturen.

Maar al die seksuele hokuspokus zou ons geen snars helpen als het meisje niet in staat was echt in contact met de klant te komen. Geweldige huishoudsters en even geweldige echtgenotes konden best wel eens problemen geven. Maar mijn optimisme was gebaseerd op het feit dat bijna alle makkers waar we achteraan zaten, schilders, musici of schrijvers waren. Het waren kunstenaars. En je kan waarschijnlijk niemand gemakkelijker benaderen dan een kunstenaar. Zelfs de allergrootsten worden nooit, zoals zakenlieden, bewaakt door bikkelharde secretaresses en amateur-gangsters in zwarte pakken. Grote zakenlieden en dergelijke leven in holen en kunnen alleen bereikt worden door lange tunnels en veel kamers, met op iedere hoek een Cerberus. Kunstenaars zijn eenlingen en wanneer je bij ze aanbelt doen ze meestal zelf open.

Maar waarom zou Yasmin eigenlijk moeten aanbellen?

Nou, ze was een jong Engels meisje, studente in de kunstgeschiedenis (of muziek of literatuur, al naar gelang) die zo'n grenzeloze bewondering voor het werk van monsieur Renoir of Monet of Strawinsky of wie dan ook had, dat ze helemaal uit Engeland was gekomen om de grote man eer te bewijzen, om hem te groeten, om hem een klein cadeautje te geven en dan weer weg te gaan. Nunc dimittis.

'Daardoor,' zei ik tegen Yasmin terwijl ik de laatste sappige kreeftepoot soldaat maakte – overigens, vindt u het niet heerlijk als u het roze-rode vlees van de schaar in een keer uit zijn harnas kunt trekken? Zoiets voel je als een kleine persoonlijke triomf. Misschien is het wel kinderachtig, maar ik krijg hetzelfde gevoel van triomf wanneer ik erin slaag een walnoot uit zijn dop te krijgen zonder hem in tweeën te breken. Eigenlijk benader ik iedere walnoot met deze zelfde opzet. Als je spelletjes speelt heb je veel meer plezier in je leven. Maar terug naar Yasmin. 'Daardoor,' zei ik tegen haar, 'zal je negenennegentig van de honderd keer meteen in huis of in het atelier genood worden. Met jouw glimlach en hitsige blikken kan ik me niet voorstellen dat ook maar een van die knapen je wegstuurt.'

'En hoe zit dat met hun waakhonden of hun vrouwen?'

'Ik denk dat je daar ook wel langskomt. Misschien krijg je zo nu en dan te horen dat manlief schildert of schrijft en dat je om zes uur nog maar eens terug moet komen. Maar tenslotte zal je altijd aan het langste eind trekken. Je moet niet vergeten, je hebt een hele afstand afgelegd, alleen maar om hem eer te bewijzen. En je moet er vooral aan denken te zeggen dat je maar een paar minuten zal blijven.'

'Negen,' zei Yasmin giechelend. 'Negen minuten maar. Wanneer beginnen we?'

'Morgen,' zei ik. 'Ik zal vanmiddag een automobiel kopen. Die zullen we nodig hebben voor onze Franse en Europese operaties. En morgen rijden we naar Essoyes en maak je kennis met monsieur Renoir.'

'Je laat er nooit gras over groeien, hè Oswald?'

'Liefje,' zei ik, 'zodra ik fortuin gemaakt heb denk ik de rest van mijn leven overal gras over te laten groeien. Maar tot het geld op de bank staat zal ik echt heel hard werken. En dat zal jij ook moeten doen.'

'Hoe lang denk je dat dat zal duren?'

'Om ons fortuin te maken? Ongeveer een jaar of zeven, acht. Meer niet. Dat is niet zo lang als dat betekent dat je je hele verdere leven kunt liggen luieren.'

'Inderdaad,' zei ze, 'en ik vind het bovendien nog leuk ook.'

'Dat weet ik.'

'Wat ik vooral leuk vind,' zei ze, 'is de gedachte dat ik door alle grote mannen van de wereld gepakt ga worden. En door alle koningen. Ik verkneukel me bij het idee.'

'Laten we opstappen en een Franse automobiel kopen,' zei ik. We stapten dus op en deze keer kocht ik een schitterende 10 PK Citroën Torpedo, een four-seater, een splinternieuw model dat net uit was. Het kostte me de tegenwaarde van driehonderdvijftig pond in Frans geld en het was precies wat ik wilde. Hoewel er geen bagageruimte was had hij op de achterbank voldoende ruimte voor mijn uitrusting en koffers. Het was een open toerwagen met een linnen kap die in minder dan een minuut opgezet kon worden als het ging regenen. De carrosserie was donkerblauw, de kleur van koninklijk bloed, en de topsnelheid lag bij een uitzinnige negentig kilometer per uur.

De volgende morgen gingen we op weg naar Essoyes met mijn reisuitrusting op de achterbank van de Citroën weggemoffeld. We stopten voor de lunch in Troyes, waar we forel uit de Seine aten (ze waren zo goed dat ik er twee nam) en een fles witte vin du pays dronken. We kwamen die middag om vier uur in Essoyes aan en namen kamers in een klein hotel waarvan ik me de naam niet kan herinneren. Mijn slaapkamer werd weer mijn laboratorium en zodra ik alles klaar had gezet voor het ogenblikkelijk testen en mengen en invriezen van semen, gingen Yasmin en ik op zoek naar monsieur Renoir. Dat was niet al te moeilijk. De vrouw achter de balie gaf ons precieze instructies. Een groot wit huis, zei ze, aan de rechterkant, driehonderd meter voorbij de kerk of zoiets.

Na mijn jaar Parijs sprak ik vloeiend Frans. Yasmin sprak net genoeg om zich te kunnen redden. Ze had op een blauwe maandag in haar jeugd een Franse gouvernante gehad en dat kwam van pas.

We vonden het huis zonder problemen. Het was een middelgroot wit houten gebouw dat vrij stond in een fraaie tuin. Ik wist dat het niet de vaste verblijfplaats van de grote man was. Die lag in het zuiden, in Cagnes, maar waarschijnlijk vond hij het in de zomermaanden hier koeler.

'Succes,' zei ik tegen Yasmin. 'Ik blijf een honderd meter verderop op je wachten.'

Ze stapte uit de auto en liep naar het tuinhek. Ik keek haar na. Ze droeg lage schoenen en een roomkleurige witte japon, geen hoed. Koel en ingetogen ging ze het hek door en liep met zwaaiende armen het pad op. Ze liep verend met een korte schaduw als begeleiding en ze leek meer op een jonge postulant die bij moeder overste op bezoek ging dan op iemand die op het punt stond een explosie van losbandigheid te veroorzaken in de geest en het lichaam van een van de grootste schilders ter wereld.

Het was een warme zonnige avond. Zittend in de stoel van mijn open automobiel dommelde ik in slaap en ik werd pas twee uur later wakker toen ik merkte dat Yasmin in de stoel naast me plaatsnam.

'Wat is er gebeurd?' vroeg ik. 'Vertel het me gauw! Is alles goed gegaan? Heb je hem ontmoet? Heb je het spul?'

Ze had in een hand een klein bruin papieren pakje en in haar andere haar tas. Ze opende haar tas en nam er het getekende briefpapier en het rubberen geval, waar het om draaide, uit. Ze gaf ze aan me zonder een woord. Ze had een vreemde trek op haar gezicht, een combinatie van extase en eerbied, en toen ik haar aansprak leek ze me niet te horen. Ze leek wel mijlen en mijlen ver weg.

'Wat is er aan de hand?' vroeg ik. 'Waarom ben je zo zwijgzaam?'

Ze staarde recht voor zich uit door de voorruit zonder me te horen. Haar ogen stonden heel helder en haar gezicht sereen, bijna gelukzalig, met een vreemde uitstraling.

'Jezus, Yasmin,' zei ik. 'Wat is er in hemelsnaam met je aan de hand? Het lijkt wel of je een visioen gehad hebt.'

'Rijen maar,' zei ze, 'en laat me verder met rust.'

Zonder te spreken reden we naar het hotel terug en we gingen elk naar onze eigen kamer. Ik onderzocht het semen onmiddellijk onder de microscoop. De spermatozoïden leefden, maar het waren er weinig, heel weinig. Ik kon er niet meer dan tien rietjes van maken. Maar het waren tien betrouwbare rietjes met elk ongeveer twintig miljoen spermatozoïden. Mijn God, dacht ik, deze gaan iemand in de komende jaren een heleboel geld kosten. Ze zullen even zeldzaam zijn als de First Folio van Shakespeare. Ik bestelde champagne en een schotel foie gras met toast en ik stuurde een boodschap naar Yasmins kamer om haar te zeggen dat ik hoopte dat ze ook zou komen om het met me te delen.

Ze kwam een halfuur later en had het kleine bruine pakje bij zich. Ik schonk haar een glas champagne in en maakte een toastje met foie gras voor haar klaar. Ze nam de champagne aan, negeerde de foie gras en bleef zwijgen.

'Kom nou,' zei ik, 'wat zit je dwars?'

Ze leegde haar glas met een diepe teug en hield het op. Ik schonk het glas weer vol. Ze dronk het half leeg en zette het weer neer. 'In godsnaam, Yasmin!' riep ik. 'Wat is er gebeurd?'

Ze keek me recht in de ogen en zei zonder omhaal: 'Hij heeft me geraakt.'

'Bedoel je dat hij je *geslagen* heeft? Goeie God, dat spijt me! Bedoel je dat hij je echt geslagen heeft?'

'Doe niet zo stom, Oswald.'

'Wat bedoel je dan?'

'Ik bedoel dat hij mijn hart geraakt heeft. Hij is de eerste man die me helemaal plat heeft.'

'Oh, nou begrijp ik het! Goeie grutten!'

'Die man is een wonder,' zei ze. 'Het is een genie.'

'Natuurlijk is het een genie. Daar hebben we hem voor gekozen.'

'Ja, maar hij is een mooi genie. Hij is zo mooi, Oswald, en zo lief en geweldig, ik heb nog nooit iemand als hij ontmoet.'

'Hij heeft je inderdaad geraakt.'

'Dat heeft hij zeker.'

'En wat is het probleem nou?' vroeg ik. 'Voel je je soms schuldig?'

'Oh nee,' zei ze. 'Ik voel me absoluut niet schuldig. Ik voel me alleen maar verpletterd.'

'Je gaat nog heel wat meer keren verpletterd worden voor we klaar zijn,' zei ik. 'Hij is niet het enige genie dat we zullen bezoeken.'

'Dat weet ik.'

'Je gaat me toch niet in de steek laten, hè?'

'Geen sprake van. Schenk me nog eens in.'

Ik vulde haar glas voor de derde keer in evenveel minuten. Ze dronk ervan. Daarna zei ze: 'Moet je luisteren, Oswald...'

'Ik luister.'

'We hebben deze hele toestand tot nu toe nogal lichthartig opgevat, nietwaar? Het was allemaal een beetje voor de lol, ja?'

'Nonsens! Ik neem het heel serieus.'

'En Alfonso dan?'

'Jij bent degene die daar grapjes over maakte,' zei ik.

'Dat weet ik,' zei ze, 'maar dat verdiende hij. Het is een nar.'

'Ik begrijp niet helemaal waar je naartoe wilt,' zei ik.

'Renoir was anders,' zei ze. 'Daar wil ik naartoe. Het is een reus. Zijn werk zal de eeuwen trotseren.'

'Net als zijn sperma.'

'Hou op en laat me uitspreken,' zei ze. 'Wat ik wil zeggen is dit. Sommige mensen zijn narren. Sommigen niet. Alfonso is een nar. Alle koningen zijn narren. We hebben ook nog een aantal andere narren op onze lijst.'

'Wie?'

'Henry Ford is een nar,' zei ze. 'Ik denk dat die Freud uit Wenen een nar is. En die draadloze jongen, Marconi. Dat is een nar.'

'En wat betekent dat allemaal?'

'Wat dat betekent,' zei Yasmin, 'is dat het me niets kan schelen grappen te maken over narren. Het kan me ook niets schelen een beetje ruw met ze om te springen als dat nodig is. Maar ik verdom het hoedespelden te prikken in mensen als Renoir, Conrad of Strawinsky. Zeker na wat ik vandaag gezien heb.'

'Wat heb je vandaag gezien?'

'Dat heb ik je al verteld, ik heb een werkelijk grote en fantastische oude man gezien.'

'En hij heeft je geraakt.'

'Wat je zegt.'

'Laat ik je dit vragen, heeft hij het fijn gevonden?'

'Geweldig,' zei ze. 'Hij heeft het geweldig gevonden.'

'Vertel me eens wat er gebeurd is.'

'Nee,' zei ze. 'Het kan me niet schelen je over de narren te vertellen. Maar de niet-narren zijn privé.'

'Zat hij in een rolstoel?'

'Ja. En hij moet zijn penselen aan zijn pols vastbinden omdat hij ze niet meer met zijn vingers kan vasthouden.'

'Door de reumatiek?'

'Ja.'

'En heb je hem cantharidekever gegeven?'

'Natuurlijk.'

'Was het niet te veel voor hem?'

'Nee,' zei ze. 'Als je zo oud bent heb je het wel nodig.'

'En hij heeft jou een schilderij gegeven,' zei ik, terwijl ik op het bruine pakje wees.

Ze pakte het nu uit en hield het zo op dat ik het kon zien. Het was een klein, niet ingelijst doek van een jong meisje met roze wangetjes, lang gouden haar en blauwe ogen, een verrassend mooi schilderijtje, een magisch ding, een wonder om te zien. Er kwam een warme gloed vanaf die de hele kamer vulde. 'Ik heb hem er niet om gevraagd,' zei Yasmin. 'Hij dwong me het aan te nemen. Is het niet prachtig?'

'Ja,' zei ik. 'Het is prachtig.'

16

Het effect dat Renoir op Yasmin had bij dat dramatische bezoek aan Essoyes heeft gelukkig niet al het plezier in onze toekomstige operaties verpest. Ik heb het zelf altijd moeilijk gevonden iets te serieus te nemen en ik geloof dat deze wereld er beter aan toe zou zijn als iedereen mijn voorbeeld volgde. Ik heb absoluut geen ambities. Mijn motto – 'Het is beter een zacht verwijt te krijgen dan een zware taak te verrichten' – zult u zo langzamerhand wel kennen. Het enige dat ik van het leven vraag is dat ik me kan vermaken. Maar om zo nog lang en gelukkig te kunnen leven moet je natuurlijk wel over een heleboel geld kunnen beschikken. Geld is essentieel voor een sybariet. Het is de sleutel tot het koninkrijk. Een oplettende lezer zal daar met grote waarschijnlijkheid op antwoorden: 'Je zegt dat je geen ambitie hebt, maar realiseer je je niet dat het verlangen naar rijkdom zelf een van de meest verwerpelijke ambities van allemaal is?'

Dat is niet altijd waar. Het is de *manier* waarop iemand aan zijn rijkdom komt die bepaalt of die verwerpelijk is of niet. Ik heb zelf erg veel scrupules over de methodes die ik gebruik. Ik weiger iets te maken te hebben met geldverdienen tenzij dat proces aan twee gulden regels gehoorzaamt. Ten eerste moet het me geweldig vermaken. Ten tweede moet het degenen op wie ik de buit verover een heleboel plezier bezorgen. Dat is een eenvoudige filosofie en ik raad hem alle geldmagnaten, gokhuisbazen, ministers van financiën en financiële directeuren, waar ook ter wereld, van ganser harte aan.

In deze periode kwamen twee zaken duidelijk naar boven. Ten eerste het ongewone gevoel dat Yasmin kreeg, volledig vervuld te raken bij iedere kunstenaar die ze bezocht. Iedere keer kwam ze het huis of atelier uit met ogen die schitterden als sterren en roodgloeiende wangen. Dat bracht me er menigmaal toe te mijmeren over de seksuele vaardigheden van uitzonderlijk creatieve genieën. Had die kolossale creativiteit zijn weer- slag op andere gebieden? En als dat zo was, kenden zij dan ook diepe geheimen en magische methodes om een dame in vervoe- ring te brengen, die voor een normale sterveling als mij onbe- reikbaar waren? De rode blos op Yasmins wangen en de glans in haar ogen lieten me, met enige tegenzin, vermoeden dat dat zo was.

Het tweede verrassende facet van de hele onderneming was de buitengewone eenvoud ervan. Yasmin leek nooit ook maar het geringste probleem te hebben om haar man ertoe te krijgen zijn produkt af te leveren. Let wel, hoe meer je erover nadenkt, hoe duidelijker het wordt dat ze eigenlijk helemaal nooit moei- lijkheden zou krijgen ook. Mannen zijn van nature polygame schepsels. Als je daar het goed onderbouwde feit bij optelt dat bijzonder creatieve kunstenaars potenter plegen te zijn dan hun medeburgers (zoals ze ook zwaardere drinkers plegen te zijn), begin je te begrijpen dat geen van hen het Yasmin erg moeilijk zou gaan maken. Dus wat is het resultaat? Je krijgt een stel uiterst begaafde en daarom hyperactieve kunstenaars vol van de allerbeste Soedanese cantharidekever, die zichzelf met uit- puilende ogen geconfronteerd zien met een jonge vrouw van een onbeschrijflijke schoonheid. Ze waren plat. Ze waren ge- klutst en op beboterde toastjes opgediend op het moment dat ze de fatale bonbon inslikten. Ik ben ervan overtuigd dat de paus van Rome zelf, in dezelfde situatie, zijn soutane in exact negen minuten uit zou hebben, net als de anderen.

Maar ik moet een ogenblik terug naar waar ik u in de steek gelaten heb.

Na Renoir keerden we terug naar ons hoofdkwartier in de Ritz in Parijs. Daarvandaan gingen we achter die oude Monet aan. We reden naar zijn prachtige huis in Giverny en ik zette Yasmin bij het hek af zoals we nu gewoon waren. Ze bleef meer dan drie uur binnen, maar dat kon me niet schelen. Omdat ik wist dat ik nog heel wat keren op deze manier zou moeten wachten, had ik achterin de wagen een kleine bibliotheek geïn- stalleerd – een complete Shakespeare, wat Jane Austen, wat Dickens, wat Balzac en de laatste Kipling.

Tenslotte kwam Yasmin naar buiten en ik zag dat ze onder

haar arm een groot doek droeg. Ze liep langzaam, kuierde maar een beetje over het trottoir op een dromerige manier, maar toen ze dichterbij kwam was het eerste dat ik opmerkte die zelfde extatische gloed in haar ogen en de schitterende blos op haar wangen. Ze zag eruit als een lieve tamme tijgerin die zojuist de keizer van India had verslonden en hem wel lekker vond smaken.

'Alles in orde?'

'Prima,' mompelde ze.

'Laat het schilderij eens zien?'

Het was een stemmige studie van waterlelies op de vijver in de tuin van Monet in Giverny, een echte schoonheid.

'Hij zei dat ik een wonderdoener was.'

'Hij heeft gelijk.'

'Hij zei dat ik de mooiste vrouw was die hij zijn hele leven gezien had. Hij vroeg me te blijven.'

Het bleek dat Monets semen sterker was dan dat van Renoir, hoewel hij een jaar ouder was, en ik was zo gelukkig vijfentwintig rietjes te kunnen maken. Ik moet toegeven dat ze elk niet meer dan het minimum van twintig miljoen spermatozoïden telden, maar dat was voldoende. Meer dan voldoende. Die Monet-rietjes zouden in de komende jaren honderdduizenden waard worden, schatte ik.

Toen hadden we een buitenkansje. Er was op dat moment in Parijs een dynamische en buitengewone producer van balletten, die Diagilew heette. Diagilew had een neus om grote kunstenaars te vinden en in 1919, na de oorlog, was hij zijn groep opnieuw aan het formeren om een nieuw repertoire van balletten voor te bereiden. Hij had voor dat doel een groep opmerkelijk begaafde mannen om zich heen verzameld. Op dat moment waren dat bijvoorbeeld: Igor Strawinsky die uit Zwitserland was gekomen om de muziek voor Diagilews *Pulcinella* te schrijven. Pablo Picasso ontwierp de decors.

Henri Matisse was ingehuurd voor de kostuums en de decors voor *Le Chant du Rossignol*.

En een andere schilder, waar we nog nooit van gehoord hadden, André Derain, was bezig de decors van *La Boutique Fantasque* in elkaar te zetten.

148

Strawinsky, Picasso en Matisse stonden allemaal op onze lijst. Ervan uitgaande dat het oordeel van monsieur Diagilew waarschijnlijk beter was dan dat van ons, besloten we Derains naam ook op de lijst te zetten. Al die mannen waren in Parijs.

Als eerste namen we Strawinsky. Yasmin liep recht op hem af terwijl hij aan de piano werkte aan *Pulcinella*. Hij was eerder verbaasd dan kwaad. 'Hallo,' zei hij. 'Wie bent u?'

'Ik ben helemaal uit Engeland gekomen om u een bonbon aan te bieden,' zei ze.

Deze absurde opmerking, die Yasmin nog veel vaker zou gebruiken, ontwapende die aardige en vriendelijke man volkomen. De rest was eenvoudig en hoewel ik naar sappige details verlangde, bleef Yasmin zwijgen.

'Je kunt me tenminste vertellen wat voor iemand hij was.'

'Fonkelend helder,' zei ze. 'Oh, hij was zo fonkelend helder en zo vlot en slim. Hij had een geweldig hoofd en een neus als een gekookt ei.'

'Is het een genie?'

'Ja,' zei ze, 'het is een genie. Hij heeft een vonk, dezelfde als Monet en Renoir.'

'Wat is dat voor vonk?' vroeg ik. 'Waar is die? Zit die in de ogen?'

'Nee,' zei ze. 'Hij zit niet op een bepaalde plaats. Hij is er gewoon. Je weet dat hij er is. Als een onzichtbaar aureool.'

Ik maakte vijftig rietjes van Strawinsky.

Daarna was het de beurt aan Picasso. Hij had in die tijd een atelier aan de rue de la Boétie en ik zette Yasmin af voor een gammele deur waar de bruine verf van afbladderde. Er was geen bel of klopper zodat Yasmin de deur gewoon openduwde en naar binnen ging. Ik installeerde me in de auto met *La Cousine Bette*, dat volgens mij nog steeds het beste is dat de oude Franse meester ooit geschreven heeft.

Ik geloof niet dat ik meer dan vier bladzijden gelezen had toen de autodeur openzwaaide en Yasmin naar binnen tuimelde en naast me neerplofte. Haar haar stond alle kanten uit en ze pufte als een locomotief.

'Jezus, Yasmin! Wat is er gebeurd?'

'Mijn God!' hijgde ze. 'Oh, mijn God!'

'Heeft hij je er uitgegooid?' riep ik. 'Heeft hij je pijn gedaan?'

Ze was te veel buiten adem om me meteen te antwoorden. Een straaltje zweet droop over haar voorhoofd. Ze zag eruit alsof ze kilometers achterna was gezeten door een maniak met een vleesmes. Ik wachtte tot ze wat bekomen was.

'Maak je geen zorgen,' zei ik. 'Het is niet te vermijden dat we een paar missers hebben.'

'Het is een duivel!' zei ze.

'Wat heeft hij met je gedaan?'

'Het is een stier! Een kleine bruine stier!'

'Ga verder.'

'Hij was met een groot doek bezig toen ik binnenkwam en hij draaide zich om en zijn ogen werden zo groot als schoteltjes en ze waren zwart en hij riep ''Olé'' of zoiets en toen kwam hij heel langzaam op me af en dook een beetje in elkaar alsof hij ging springen...'

'En sprong hij?'

'Ja,' zei ze. 'Hij sprong.'

'Grote God.'

'Hij legde zelfs zijn kwast niet neer.'

'Dus je had geen tijd hem zijn regenjasje aan te trekken?'

'Ik ben bang van niet. Ik had zelfs geen tijd mijn tas open te doen.'

'Verdomme.'

'Ik ben door een orkaan gegrepen, Oswald.'

'Kon je hem niet een beetje afremmen? Herinner je je wat je met die goeie Woresley gedaan hebt om hem te kalmeren?'

'Deze zou zich door niets laten tegenhouden.'

'Lag je op de grond?'

'Nee, hij gooide me op een smerig soort sofa. Er lagen overal tubes verf.'

'Je zit er helemaal onder. Kijk maar eens naar je japon.'

'Ik weet het.'

Ik wist dat ik Yasmin deze mislukking niet kon verwijten. Maar toch voelde ik me aardig lullig. Het was onze eerste misser. Ik hoopte alleen maar dat er niet veel zouden volgen.

'Weet je wat hij daarna deed?' vroeg Yasmin. 'Hij knoopte gewoon zijn broek dicht en zei: ''Dank u wel, mademoiselle.

Dat was heel verfrissend. Maar nu moet ik weer aan het werk."
En hij draaide zich om, Oswald! Hij draaide zich gewoon om en
begon weer te schilderen!'

'Het is een Spanjaard,' zei ik, 'net als Alfonso.' Ik stapte uit
de auto en zwengelde aan de slinger, en toen ik weer instapte
was Yasmin haar haar aan het fatsoeneren voor de achteruit-
kijkspiegel. 'Het spijt me dat ik het moet zeggen,' zei ze, 'maar
ik vond het deze keer erg leuk.'

'Dat weet ik.'

'Een ongelooflijke vitaliteit.'

'Zeg eens op,' zei ik, 'is monsieur Picasso een genie?'

'Ja,' zei ze. 'Het was heel sterk. Hij zal eens razend beroemd
worden.'

'Verdomme.'

'We kunnen niet altijd geluk hebben, Oswald.'

'Dat neem ik aan.'

Matisse was de volgende.

Yasmin bleef ongeveer twee uur bij monsieur Matisse en verdomd als die kleine dievegge niet met nog een schilderij naar
buiten kwam. Dat doek was gewoon tovenarij, een fauvistisch
landschap met blauwe en groene en paarse bomen, gesigneerd
en gedateerd 1915.

'Geweldig schilderij,' zei ik.

'Geweldige man,' zei ze. En dat was alles wat ze over Henri
Matisse wilde zeggen. Verder geen woord.

Vijftig rietjes.

17

Mijn draagbare container met vloeibare stikstof begon vol te raken met rietjes. We hadden nu koning Alfonso, Renoir, Monet, Strawinsky en Matisse. Maar er konden er nog een paar bij. Ieder rietje bevatte niet meer dan $1/4$ cc vloeistof en het rietje was zelf maar iets dikker dan een lucifer en half zo lang. Vijftig rietjes die netjes in een metalen rekje opgeborgen waren namen maar heel weinig ruimte in. Ik besloot dat we deze reis nog drie voorraadjes zouden aanleggen en ik vertelde Yasmin dat we Marcel Proust, Maurice Ravel en James Joyce zouden opzoeken. Ze woonden alledrie in of om Parijs.

Als u de indruk heeft gekregen dat Yasmin en ik onze bezoeken min of meer op opeenvolgende dagen aflegden is dat een misvatting. We gingen juist heel langzaam en voorzichtig te werk. Meestal lag er een week tussen twee bezoeken. Dat gaf me de tijd om het volgende slachtoffer nauwkeurig te bestuderen voor we op hem afgingen. Nooit reden we naar een huis en belden aan om er dan maar het beste van te hopen. Voor we langsgingen wist ik alles over de gewoonten en werkuren van onze man, over zijn gezin en zijn bedienden als hij die had, en we kozen het moment altijd zorgvuldig uit. Maar zelfs dan nog moest Yasmin zo nu en dan buiten in de auto zitten wachten tot een echtgenote of bediende wegging om boodschappen te doen.

Onze volgende keuze was monsieur Proust. Hij was achtenveertig jaar oud en zes jaar tevoren, in 1913, had hij *Du Côté de chez Swann* gepubliceerd. En nu was net *A l'Ombre des Jeunes Filles en Fleurs* verschenen. Dit boek was door de critici enthousiast ontvangen en hij had er de Prix Goncourt mee gewonnen. Maar ik maakte me wat zenuwachtig over monsieur Proust. Volgens mijn informatie was hij wel een erg vreemde vogel. Hij was onafhankelijk en steenrijk. Hij was een snob. Hij was een antisemiet. Hij was ijdel. Hij was een hypochonder die aan astma leed. Hij sliep tot vier uur in de middag en bleef de hele nacht op. Hij woonde met een trouwe waakhond samen die Céleste heette, en zijn huidige adres was een appartement aan de rue Laurent-Pichet 8 Bis. Het huis was het bezit van de beroemde toneelspeelster Réjane, en Réjanes zoon woonde in de flat vlak onder Proust, terwijl Réjane zelf de rest van het huis bewoonde.

Ik hoorde dat monsieur Proust vanuit een literair gezichtspunt totaal geen scrupules bezat en zowel door overreding als met geld tot enthousiaste artikelen in kranten en tijdschriften inspireerde. En als klap op de vuurpijl was hij volslagen homoseksueel. Behalve zijn trouwe Céleste had hij nooit een vrouw tot zijn slaapkamer toegelaten. Om de man nauwkeuriger te kunnen bestuderen liet ik me uitnodigen voor een diner bij zijn goede vriendin, prinses Soutzo. En daar kwam ik tot de ontdekking dat monsieur Proust niet om aan te zien was. Met zijn zwarte snor, zijn ronde, uitpuilende ogen en zijn plompe kleine figuur leek hij verbazingwekkend veel op een acteur van het cinematografische doek, Charlie Chaplin. Bij prinses Soutzo klaagde hij de hele tijd over tocht in de eetkamer en hij hield zitting te midden van de gasten en verwachtte dat iedereen zijn mond hield als hij aan het woord was. Ik kan me twee ongelooflijke uitspraken herinneren die hij die avond deed. Over een man die de voorkeur gaf aan vrouwen zei hij: 'Ik ken mijn pappenheimers. Hij is volkomen abnormaal.' En in een ander verband hoorde ik hem zeggen: 'Verzotheid op mannen maakt mannelijk.' Om kort te gaan, je moest hem goed in de smiezen houden.

'Hé hé, wacht eens even,' had Yasmin gezegd toen ik haar dit alles vertelde. 'Ik pas ervoor me door een sodemieter te laten pakken.'

'Waarom?'

'Doe niet zo stom, Oswald. Als hij tweehonderd procent flikker is...'

'Hij noemt het een geïnverteerde.'

'Het kan me niets schelen hoe hij het noemt.'

'Het is een heel proustiaans woord,' zei ik. 'Zoek "inverteren" maar eens in het woordenboek op en je zal merken dat de betekenis "ondersteboven keren" is.'

'Mij zal hij niet ondersteboven keren, dank je wel,' zei Yasmin.

'Wind je nou niet op.'

'In ieder geval is het zonde van de moeite,' zei ze. 'Hij zou niet eens naar me kijken.'

'Ik denk van wel.'

'Wat wil je dan dat ik doe, me als koorknaap verkleden?'

'We zullen hem een dubbele dosis cantharidekever geven.'

'Daardoor zal hij zijn gewoontes niet veranderen.'

'Nee,' zei ik, 'maar het zal hem zo bloedgeil maken dat het hem niet meer zal uitmaken van welk geslacht je bent.'

'Hij zal me inverteren.'

'Nee, dat zal hij niet.'

'Hij zal me als een komma inverteren.'

'Neem een hoedespeld mee.'

'Ik geloof nog steeds niet dat het kan lukken,' zei ze. 'Als hij een echte vierentwintigkaraats nicht is, stoten alle vrouwen hem lichamelijk af.'

'Het is van essentieel belang dat we hem krijgen,' zei ik. 'Zonder vijftig Proust-rietjes is onze collectie niet compleet.'

'Is hij echt zo belangrijk?'

'Dat wordt hij,' zei ik. 'Ik ben ervan overtuigd. Er zal in de toekomst grote vraag naar Proust-kindertjes komen.'

Yasmin staarde uit de ramen van de Ritz naar de grijsbewolkte zomerlucht boven Parijs. 'Als het zo ligt staat ons maar een ding te doen,' zei ze.

'En dat is?'

'Doe het zelf.'

Ik was zo geschokt dat ik opsprong.

'Kalm aan,' zei ik.

'Hij wil een man,' zei ze. 'Nou, jij bent een man. Je bent volmaakt. Je bent jong, je bent knap en je bent geil.'

'Ja, maar ik ben geen schandknaap.'

'Je hebt er het lef niet voor.'

'Natuurlijk heb ik er het lef voor. Maar het veldwerk is jouw afdeling, niet de mijne.'

'Wie zegt dat?'

'Ik maak het niet met een man, Yasmin, dat weet je.'

'Dit is geen man. Het is een kwee.'

'In godsnaam!' riep ik. 'Voor geen goud laat ik die kleine griezel in mijn buurt komen! Alleen al van een klisma zit ik een week te trillen, weet je!'

Yasmin moest gillen van het lachen. 'Ik neem aan dat je me nou gaat vertellen,' zei ze, 'dat je een nauwe sluitspier hebt.'

'Ja, en ik ben niet van plan hem door Proust te laten uitrekken, dank je wel,' zei ik.

'Je bent een lafaard, Oswald,' zei ze.

Het was een impasse. Ik mokte. Yasmin stond op en schonk zich een glas in. Ik deed hetzelfde. Zwijgend zaten we te drinken. Het was vroeg in de avond.

'Waar zullen we vanavond gaan eten?' vroeg ik.

'Het kan me niet schelen,' zei ze. 'Ik denk dat we eerst deze Proust-affaire moeten proberen op te lossen. Ik zie deze kleine sodemieter niet graag door mijn vingers glippen.'

'Heb je een idee?'

'Ik denk erover na,' zei ze.

Ik dronk mijn glas leeg en schonk nog eens in. 'Wil jij er ook een?' vroeg ik haar.

'Nee,' zei ze. Ik liet haar aan haar gedachten over. Na een tijdje zei ze: 'Nou, ik vraag me af of dat zal werken.'

'Wat?'

'Ik heb net een heel klein ideetje gekregen.'

'Vertel op.'

Yasmin antwoordde niet. Ze stond op en liep naar het raam en leunde naar buiten. Ze bleef vijf volle minuten naar buiten leunen, onbeweeglijk en diep in gedachten en ik keek naar haar maar hield mijn mond. Toen zag ik haar plotseling met haar rechterhand achter zich grijpen en haar hand begon in de lucht achter zich te klauwen alsof ze aan het vliegenvangen was. En daarbij keek ze niet om. Ze bleef gewoon uit het raam hangen en achter zich grijpen naar de niet bestaande vliegen achter haar.

'Wat is er in hemelsnaam aan de hand?' zei ik.

Ze draaide zich om en keek me aan en er was nu een brede glimlach om haar mond te zien. 'Het is geweldig!' riep ze. 'Ik vind het fantastisch! Ik ben echt een slim klein meisje!'

'Kom er dan maar mee voor de draad.'

'Het wordt heel riskant,' zei ze, 'en ik moet erg snel zijn, maar ik kan heel goed vangen. Als ik er goed over nadenk was ik altijd beter in het vangen van cricketballen dan mijn broer.'

'Waar heb je het in hemelsnaam over?' vroeg ik.

'Het zou betekenen dat ik me als man zou moeten verkleden.'

'Gemakkelijk,' zei ik. 'Geen probleem.'

'Een knappe jongeman.'

'Ga je hem Kever geven?'

'Een dubbele dosis,' zei ze.

'Is dat niet een beetje riskant? Vergeet niet wat dat met die goeie Woresley gedaan heeft.'

'Zo wil ik hem precies hebben,' zei ze. 'Ik wil dat hij buiten zinnen raakt.'

'Zou je me precies willen vertellen wat je van plan bent?' vroeg ik haar.

'Je moet niet zoveel vragen stellen, Oswald. Laat dat nou maar aan mij over. Ik beschouw monsieur Proust als vogelvrij. Ik reken hem tot de narren en ik zal hem als nar behandelen ook.'

'Eigenlijk is hij geen nar,' zei ik. 'Ook hij is een genie. Maar neem in ieder geval de hoedespeld mee. De koninklijke hoedespeld. Die vijf centimeter in de billen van de koning van Spanje gezeten heeft.'

'Ik zou me veiliger voelen met een vleesmes,' zei ze.

De volgende dagen waren we bezig Yasmin als jongen te verkleden. We vertelden de kleermaker en de pruikenmaker en de schoenmaker dat we haar optuigden voor een heel groot gemaskerd bal en ze deden enthousiast mee. Het is verbazend wat een goede pruik met een gezicht kan doen. Op het moment dat de pruik op en de opmaak af was werd Yasmin een man. We kozen een licht verwijfde lichtgrijze broek, een blauw overhemd, een zijden stropdas, een gebloemd zijden vest en een reebruin jasje. Als schoenen wit-met-bruine brogues. Op haar hoofd een slappe vilten deukhoed met de kleur van snuif en een brede rand. We haalden de welvingen uit haar voorname boezem door er een brede crêpe band om te binden. Ik leerde haar met een zachte fluisterstem te spreken om hem minder hoog te laten klinken en ik repeteerde ijverig met haar wat ze moest zeggen, eerst tegen Céleste als die opengedaan had en daarna tegen monsieur Proust als ze bij hem was gebracht.

In een week waren we klaar om van start te gaan. Yasmin had me nog steeds niet verteld hoe ze had gedacht eraan te ontsnappen op een echte proustiaanse wijze geïnverteerd te worden en ik drong niet verder bij haar aan. Ik was allang blij dat ze had toegestemd hem aan te pakken.

We besloten dat we om zeven uur 's avonds bij zijn huis zouden aankomen. Tegen die tijd zou ons slachtoffer al een goede drie uur op zijn. In haar kamer in de Ritz hielp ik Yasmin bij het kleden. De pruik was een schoonheid. Het gaf haar een hoofd met haar dat bronsgoud van kleur was, licht krullend en iets aan de lange kant. De grijze broek, het gebloemde vest en het reebruine jasje maakten van haar een verwijfde maar razend knappe jongeman.

'Iedere sodemieter moet je nu wel sodemieteren, of hij wil of niet,' zei ik.

Ze glimlachte maar reageerde niet.

'Wacht even,' zei ik. 'Er ontbreekt iets. Je broek ziet er opvallend leeg uit. Zo verraad je jezelf meteen.' Er stond een schaal fruit op het buffet, een geschenk van de directie van het hotel. Ik koos een kleine banaan uit. Yasmin liet haar broek zakken en we plakten de banaan met plakband aan de binnenkant van haar dij vast. Toen ze haar broek weer optrok was het resultaat frappant – een veelzeggende en opwindende zwelling op precies de goede plek.

'Dat moet hij zien,' zei ik. 'Hij zal ervan kwijlen.'

18

We gingen naar beneden en namen de auto. Ik reed naar de rue Laurent-Pichet en zette de auto ongeveer twintig meter voor nummer acht neer, aan de overkant van de straat. We bekeken het huis. Het was een groot stenen gebouw met een zwarte voordeur. 'Aan de slag maar,' zei ik, 'en succes. Hij zit op de tweede etage.'

Yasmin stapte uit. 'Die banaan zit een beetje ongemakkelijk,' zei ze.

'Dan weet je ook eens wat het is om een man te zijn,' zei ik.

Ze draaide zich om en liep met haar handen in haar broekzak op het huis af. Ik zag haar aan de deur voelen. Die was niet op slot, waarschijnlijk omdat het huis in verschillende appartementen verdeeld was. Ze ging naar binnen.

Ik installeerde me in de auto om het resultaat af te wachten. Ik, de generaal, had alles gedaan wat ik kon om de slag voor te bereiden. De rest moest Yasmin, de soldaat, doen. Ze was goed gewapend. Ze had een dubbele dosis (hadden we tenslotte besloten) cantharidekever bij zich en een lange hoedespeld waarvan de scherpe punt nog steeds de gestolde resten Spaans koninklijk bloed droeg die Yasmin had geweigerd eraf te vegen.

Het was in Parijs een warme, bewolkte augustusavond. De kap van mijn blauwe Citroën Torpedo was naar beneden geklapt. Mijn stoel was gemakkelijk, maar ik was te gespannen om me op een boek te concentreren. Ik had een goed uitzicht op het huis en ik staarde er met een zekere gefascineerdheid naar. Ik kon de grote ramen van de tweede verdieping waar monsieur Proust woonde zien en de groene fluwelen gordijnen die naar beide kanten opzijgeschoven waren, maar ik kon niet naar binnen kijken. Waarschijnlijk was Yasmin daarboven, waarschijnlijk in diezelfde kamer, en ze zou zeggen wat ik haar zo zorgvuldig ingeprent had: 'Excuseert u mij alstublieft, monsieur, maar ik ben verliefd op uw werk. Ik ben helemaal uit

Engeland hier naartoe gereisd om eer te bewijzen aan uw genie. Neemt u alstublieft deze kleine doos bonbons aan... ze zijn verrukkelijk... vindt u het goed als ik er een neém... en hier is er een voor u...'

Ik wachtte twintig minuten. Ik wachtte dertig minuten. Ik keek op mijn horloge. Ik nam aan dat er vanwege de manier waarop Yasmin over die 'kleine sodemieter' zoals ze hem noemde dacht, wel geen tête-à-tête met een klein babbeltje achteraf zou zijn, zoals bij Renoir en Monet. Dit, bedacht ik, zou een kort, snel bezoek zijn en voor de grote schrijver waarschijnlijk een tamelijk pijnlijk bezoek.

Ik had gelijk dat het kort zou zijn. Drieëndertig minuten nadat Yasmin naar binnen was gegaan zag ik de grote zwarte voordeur weer opengaan en kwam ze naar buiten.

Terwijl ze naar me toe liep zocht ik naar sporen van wanorde bij haar kleren. Die waren er niet. De snuifkleurige vilten deukhoed stond in dezelfde schalkse hoek als tevoren en ze zag er in het geheel net zo keurig netjes uit toen ze naar binnen ging als toen ze er uitkwam.

Of was dat wel zo? Ontbrak de veerkracht niet een beetje in haar tred? Inderdaad. En had ze niet de neiging die schitterende lange ledematen van haar nogal voorzichtig te bewegen? Ongetwijfeld. Ze liep in feite net als iemand die na een lange rit op een ongemakkelijk zadel van zijn fiets gestapt was.

Die kleine waarnemingen stelden me gerust. Ze waren er het zekere bewijs van dat mijn fiere soldaat in een verwoede strijd verwikkeld was geweest.

'Goed gedaan,' zei ik toen ze in de auto stapte.

'Waarom denk je dat het goed geslaagd is?'

Een koele hoor, die Yasmin.

'Je gaat me toch niet vertellen dat het is misgegaan?'

Ze antwoordde me niet. Ze ging in haar stoel zitten en sloot de deur.

'Ik moet het nu weten, Yasmin, want als je de buit hebt moet ik snel terugracen en hem invriezen.'

Ze had het. Natuurlijk had ze het. Ik snelde ermee naar het hotel en maakte er vijftig buitengewone rietjes van. Volgens mijn microscopische dichtheidstelling bevatte ieder rietje niet minder dan vijfenzeventig miljoen spermatozoïden. Ik weet dat het krachtige rietjes waren omdat ik op hetzelfde moment dat ik dit schrijf, negentien jaar later, in staat ben met zekerheid te beweren dat er in Frankrijk veertien kinderen rondlopen die Marcel Proust als vader hebben. Alleen ik weet wie het zijn. Zulke zaken zijn diepe geheimen. Het zijn geheimen tussen hun moeder en mij. De echtgenoten weten het niet. Het is moeders geheim. Maar allemachtig, je zou die veertien dwaze, rijke, ambitieuze, literair geïnteresseerde moeders eens moeten zien. Stuk voor stuk maken ze zichzelf wijs, als ze trots naar hun proustiaanse nakroost kijken, dat ze met grote zekerheid het leven hebben geschonken aan een groot schrijver. Nou, dat hebben ze dan verkeerd. Ze hebben het allemaal verkeerd. Er bestaat hoegenaamd geen bewijs dat grote schrijvers grote schrijvers voortbrengen. Een enkele keer brengen ze kleine schrijvers voort, maar daar blijft het dan ook bij.

Ik denk dat er iets meer argumenten voor zijn dat grote schilders soms grote schilders voortbrengen. Kijk maar naar Teniers en Breughel en Tiepolo en zelfs naar Pissarro. En in de muziek had die geweldige Johann Sebastian Bach zo'n groot genie dat hij er wel iets van op zijn kinderen moest overbrengen. Maar schrijvers, nee. Grote schrijvers lijken eerder wel dan niet van onvruchtbare bodem te komen – zonen van mijnwerkers of slagers of verarmde onderwijzers. Maar die eenvoudige wijsheid kon niet verhinderen dat een klein aantal literair snobistische dames een baby wilden hebben van die briljante monsieur Proust of die buitengewone mister James Joyce. Maar tenslotte was het niet mijn werk genieën voort te brengen maar geld te verdienen.

Tegen de tijd dat ik die vijftig Proust-rietjes gevuld had en ze veilig in de vloeibare stikstof had laten zakken, was het bijna negen uur in de avond. Yasmin had zich gebaad en mooie vrouwelijke kleren aangetrokken en ik nam haar mee uit om bij Maxim te dineren en zo ons succes te vieren. Ze had me nog niets verteld over wat er gebeurd was.

Mijn dagboek meldt op die dag dat we de maaltijd allebei begonnen met een dozijn escargots. Het was half augustus en er waren net hoenders aangekomen uit Yorkshire en Schotland en daarom bestelden we er elk een en ik vertelde de ober dat we ze bloedrood wilden hebben. De wijn werd een Volnay, een van mijn favoriete bourgognes.

'Nou,' zei ik toen we besteld hadden, 'moet je me alles vertellen.'

'Wil je een gedetailleerd verslag?'

'Alles wil ik horen.'

Er stond een schaal radijsjes op tafel en Yasmin stopte er een in haar mond en knabbelde hem op. 'Er was een bel bij zijn deur,' zei ze, 'dus ik belde maar aan. Céleste deed open en nam me nors op. Je had die Céleste eens moeten zien, Oswald. Ze is mager en heeft een scherpe neus en een mond als een mes en twee kleine bruine ogen die me zeer afkeurend taxeerden. "Wat is er van uw dienst?" vroeg ze bits en ik deed mijn verhaal, dat ik uit Engeland gekomen was om een geschenk te brengen aan de beroemde schrijver die ik aanbad. "Monsieur Proust is aan het werk," zei Céleste en probeerde de deur weer te sluiten. Ik zette mijn voet ertussen en duwde hem open en liep naar binnen. "Ik heb niet die hele afstand afgelegd om een deur in mijn gezicht dichtgeslagen te krijgen," zei ik. "Wees zo goed meneer te melden dat ik hier mijn opwachting bij hem maak." '

'Goed gedaan,' zei ik.

'Ik moest wel bluffen,' zei ze. 'Céleste keek me kwaad aan. "Welke naam?" zei ze kortaf. "Mister Bottomley," zei ik, "uit Londen." Ik was heel tevreden met die naam.'

'Heel toepasselijk,' zei ik. 'Kondigde het dienstmeisje je aan?'

'Oh ja. En hij liep de hal in, die malle kleine bol-ogige sodemieter, met zijn pen nog in zijn hand.'

'Wat gebeurde er daarna?'

'Ik stak meteen van wal met dat lange verhaal dat je me geleerd hebt, beginnende met: "Excuseert u mij alstublieft, monsieur..." maar ik had nog maar een half dozijn woorden gesproken toen hij zijn hand ophief en riep: "Stop! Ik heb u al vergeven!" Hij staarde me aan alsof ik het mooiste en verleidelijkste en opwindendste jongetje was dat hij zijn hele leven gezien had, wat ik waarschijnlijk ook was.'

'Sprak hij Engels of Frans?'

'Van elk wat. Zijn Engels was tamelijk goed, zoiets als mijn Frans, dus dat maakte niet veel uit.'

'En hij viel meteen op je?'

'Hij kon zijn ogen niet van me afhouden. "Dat is alles, dank je, Céleste," zei hij, zijn lippen aflikkend. Maar Céleste vond dat minder plezierig. Ze week geen centimeter. Zij rook lont.

"Je kunt nu wel gaan, Céleste," zei monsieur Proust nu wat luider.

Maar ze weigerde nog steeds te vertrekken. "Is er verder nog niet iets van uw dienst, monsieur Proust?"

"Ik wil met rust gelaten worden," zei hij kwaad, en het mens beende nijdig weg.

"Gaat u alstublieft zitten, monsieur Bottomley," zei hij. "Zal ik uw hoed even aannemen? Mijn verontschuldigingen voor mijn gedienstige. Ze beschermt me iets te veel."

"Waar beschermt ze u tegen, monsieur?"

Hij glimlachte naar me en liet een stel afschuwelijke tanden met grote gaten ertussen zien. "Tegen u," zei hij zachtjes.

Gompie, dacht ik, nu kan ik ieder moment geïnverteerd worden. Op dat moment, Oswald, dacht ik er serieus over die hele cantharidekever maar te laten schieten. Die man droop van de geilheid. Als ik me alleen maar gebukt had om een veter aan te trekken had hij me al besprongen.'

'Maar je hebt het niet laten schieten?'

'Nee,' zei ze. 'Ik heb hem de bonbon gegeven.'

'Waarom?'

'Omdat ze ergens gemakkelijker te hanteren zijn als ze onder de invloed zijn. Dan weten ze niet meer precies wat ze doen.'

'Werkte de bonbon goed?'

'Het werkt altijd goed,' zei ze. 'Maar deze keer was het een dubbele dosis en werkte het dus beter.'

'Hoeveel beter?'

'Sodemieters zijn anders,' zei ze.

'Dat neem ik aan.'

'Want,' zei ze, 'als een gewone man gek wordt door de Kever wil hij alleen maar op slag en stoot een vrouw verkrachten. Maar wanneer een sodemieter gek gemaakt wordt door het poeder is zijn eerste gedachte niet meteen te gaan sodemieteren. Hij begint agressief naar de piemel van een andere kerel te grijpen.'

'Dat is een beetje penibel.'

'Heel penibel,' zei Yasmin. 'Ik wist dat als ik hem dichtbij genoeg zou laten komen om me te grijpen, hij in zijn hand niet meer dan een tot pulp geknepen banaan zou hebben.'

'Wat heb je toen gedaan?'

'Ik bleef hem ontlopen,' zei ze. 'En tenslotte werd het natuurlijk een wedstrijd waarbij hij me de hele kamer achterna zat en links en rechts dingen omgooide.'

'Nogal inspannend.'

'Ja, en toen we daar middenin bezig waren ging de deur open en stond daar dat afschuwelijke dienstmeisje weer. "Monsieur Proust," zei ze, "al die beweging is slecht voor uw astma."

"Lazer op," schreeuwde hij. "Lazer op, heks!" '

'Ik neem aan dat ze dat soort dingen wel gewend is.'

'Daar ben ik zeker van,' zei Yasmin. 'Nou stond er midden in de kamer een ronde tafel en ik wist dat hij me, zolang ik daar dichtbij bleef, niet te pakken kon krijgen. Er zijn heel wat meisjes voor vieze oude kereltjes gespaard gebleven door een ronde tafel. De moeilijkheid was dat hij dit facet wel leuk leek te vinden, en ik kwam algauw op de gedachte dat een klopjacht door de kamer voor dit soort gabbers een noodzakelijk voorspel was.'

'Een soort ouverture.'

'Precies,' zei ze. 'En hij bleef van alles tegen me zeggen terwijl we alsmaar om die tafel draaiden.'

'Wat voor dingen?'

'Vuilspuiterij,' zei ze. 'Niet de moeite van het herhalen waard. Overigens, die banaan was een vergissing.'

'Waarom?'

'De bobbel was te groot,' zei ze. 'Hij merkte het onmiddellijk. En de hele tijd dat hij me om die tafel achterna zat bleef hij er maar naar wijzen en er de loftrompet over steken. Ik wou niets liever dan hem vertellen dat het een onnozele banaan uit de Ritz was, maar dat kon niet. Die banaan maakte dat hij helemaal door het behang ging en de cantharidekever begon iedere seconde sterker te werken en plotseling doemde er een nieuw probleem op. Hoe kan ik in godsnaam, dacht ik, dat rubberen geval op hem krijgen voor hij me bespringt? Ik kon niet bepaald zeggen dat het uit voorzorg was, nietwaar?'

163

'Niet wat je noemt.'

'Ik bedoel, wat kon ik überhaupt voor reden aanvoeren dat ik dat verdomde ding bij me had?'

'Lastig,' zei ik. 'Heel lastig. Hoe ben je daar uitgekomen?'

'Tenslotte zei ik tegen hem: "Wilt u mij, monsieur Proust?"

"Ja," schreeuwde hij. "Ik wil je liever dan wie ook in mijn leven! Blijf staan!"

"Nog niet," zei ik. "Eerst moet u hem dit leuke kleine dingetje aandoen om hem warm te houden." Ik nam het uit mijn zak en gooide het naar de andere kant van de tafel. Hij hield op met zijn klopjacht en staarde ernaar. Ik betwijfel of hij er ooit een gezien had. "Wat is dat?" riep hij.

"Dat heet een prikkelaar," zei ik. "Het is een van onze beroemde Engelse prikkelaars, uitgevonden door Oscar Wilde."

"Oscar Wilde!" riep hij uit. "Aha! Een geweldige vent!"

"Hij heeft de prikkelaar uitgevonden," zei ik. "En lord Alfred Douglas heeft hem een handje geholpen."

"Lord Alfred was ook een geweldige vent!" riep hij.

"Koning Edward de Zevende," zei ik, om het nog wat aan te dikken, "had altijd een prikkelaar bij zich, waar hij ook naartoe ging."

"Koning Edward de Zevende!" riep hij. "Mijn God." Hij griste het kleine ding van de tafel. "Het is toch goed, hè?"

"Het verdubbelt het genot," zei ik. "Wees nou een brave jongen en doe hem snel aan. Ik word ongeduldig."

"Help me een handje."

"Nee," zei ik, "je moet het zelf doen." En terwijl hij ermee rondhanneste moest ik... eh... nou ja, ik moest er toch absoluut zeker van zijn dat hij de banaan en de rest niet zag, nietwaar...? en toch wist ik dat het gevreesde moment was aangebroken toen ik mijn broek moest laten zakken...'

'Dat was een beetje riskant.'

'Ik kon het niet vermijden, Oswald. Toen hij dus bezig was met Oscar Wildes grote uitvinding draaide ik hem mijn rug toe, liet mijn broek zakken en nam wat ik dacht wat de juiste houding was aan door me over de achterkant van de sofa te buigen...'

'Mijn God, Yasmin, je wilt toch niet zeggen dat je je door hem...'

164

'Natuurlijk niet,' zei ze, 'maar ik moest mijn banaan verstoppen en buiten zijn bereik houden.'

'Ja, maar besprong hij je dan niet?'

'Hij kwam als een stormram op me af.'

'Hoe heb je hem ontweken?'

'Dat heb ik niet,' zei ze glimlachend. 'Daar gaat het nou juist om.'

'Ik kan het niet volgen,' zei ik. 'Als hij als een stormram op je afkwam en jij hem niet ontweken hebt, dan moet hij je geramd hebben.'

'Hij heeft me niet op de manier geramd als jij denkt dat hij me ramde,' zei ze. 'Ik had me namelijk iets herinnerd, Oswald. Ik herinnerde me het verhaal van A. R. Woresley en de stier van zijn broer en hoe ze de stier hebben laten denken dat zijn piemel op de ene plaats zat terwijl die eigenlijk op een andere plaats zat. A. R. Woresley had hem beetgegrepen en ergens anders naartoe geleid.'

'Is dat wat je gedaan hebt?'

'Ja.'

'Maar vast niet in zo'n zak als Woresley had.'

'Doe niet zo stom, Oswald. Ik heb geen zak nodig.'

'Natuurlijk niet... nee... nu snap ik wat je bedoelt... maar was dat niet erg lastig...? Ik bedoel... jij keek de andere kant uit... hij stormde als een stormram op je af... je moest heel snel handelen, hè?'

'Ik was snel. Ik greep hem voor hij me raakte.'

'Maar merkte hij het niet?'

'Niet meer dan de stier,' zei ze. 'Eigenlijk nog minder, en ik zal je zeggen waarom.'

'Waarom?'

'Nou, om te beginnen was hij gek van de Kever, ja?'

'Ja.'

'Hij snoof en gromde en zwaaide met zijn armen, ja?'

'Ja.'

'En hij hield zijn hoofd omhoog, net als de stier, ja?'

'Waarschijnlijk wel.'

'Maar het belangrijkste van alles, hij nam aan dat ik een *man* was. Hij dacht dat hij het met een *man* deed, ja?'

'Natuurlijk.'

'En zijn piemel zat op een goede plek. Die had veel lol, ja?'

'Ja.'

'Dus kon hij volgens hem maar op een plaats zitten. Een man *heeft* geen andere plaats.'

Ik staarde haar vol bewondering aan.

'Dat moest hem wel voor de gek houden,' zei ze. Ze trok een slak uit zijn huisje en stopte hem in haar mond.

'Briljant,' zei ik. 'Absoluut briljant.'

'Ik was er zelf ook wel mee in mijn sas.'

'Het is het toppunt van misleiding.'

'Dank je, Oswald.'

'Er is maar één ding dat ik niet kan vatten,' zei ik.

'Wat is dat?'

'Toen hij als een stormram op je afkwam, richtte hij toen niet?'

'Op een bepaalde manier, ja.'

'Maar hij is een ervaren schutter.'

'Mijn beste ouwe droogstoppel,' zei ze, 'het schijnt maar niet tot je door te dringen hoe een man zich gedraagt als hij een dubbele dosis heeft gehad.'

Dat weet ik heel goed, zei ik in mezelf. Tenslotte lag ik achter de archiefkast toen A.R.Woresley zijn portie kreeg.

'Nee,' zei ik. 'Dat weet ik niet. Hoe gedraagt iemand die een dubbele dosis gekregen heeft zich?'

'Als een waanzinnige,' zei ze. 'Hij weet letterlijk van voren niet dat hij van achteren leeft. Ik had hem in een pot zure augurken kunnen stoppen zonder dat het verschil hem opgevallen zou zijn.'

Ik heb in de loop der jaren een verrassende doch eenvoudige waarheid over jongedames geleerd, en die luidt: *hoe mooier hun gezicht is, hoe grover hun gedachten*. Yasmin maakte daar geen uitzondering op. Daar zat ze nou tegenover me aan tafel bij Maxim in een prachtige Fortuny-japon en zag er voor het oog van de wereld uit als koningin Semiramis op de troon van Egypte, maar ze sloeg grove taal uit. 'Je slaat grove taal uit,' zei ik.

'Ik ben een grof meisje,' zei ze grinnikend.

De Volnay werd gebracht en ik proefde hem. Voortreffelijke wijn. Mijn vader zei altijd nooit een Volnay van een goed huis te laten schieten als er een op de wijnkaart staat. 'Hoe kwam je zo gauw weg?' vroeg ik haar.

'Hij was heel ruw,' zei ze. 'Ruw en alsof hij sporen droeg. Ik had het gevoel dat ik een gigantische kreeft op mijn rug had.'

'Beestachtig.'

'Het was afschuwelijk,' zei ze. 'Hij had een zware gouden horlogeketting dwars over zijn vest die steeds mijn ruggegraat kneusde. En een groot horloge in zijn vestzak.'

'Niet zo best voor dat horloge.'

'Nee,' zei ze. 'Het zei krak. Ik kon het horen.'

'Tsja, eh...'

'Heerlijke wijn is dit, Oswald.'

'Ik weet het. Maar hoe kwam je nou zo snel weg?'

'Dat moet wel problemen geven bij de jongeren nadat ze de Kever gekregen hebben,' zei ze. 'Hoe oud was deze?'

'Achtenveertig.'

'In de bloei van zijn leven,' zei ze. 'Het wordt wat anders als ze zesenzeventig zijn. Op die leeftijd blijven ze snel stilstaan, zelfs met de Kever.'

'Maar deze kerel niet?'

'Mijn God, nee,' zei ze. 'Een perpetuum mobile. Een mechanische kreeft.'

'Wat heb je toen gedaan?'

'Wat kon ik doen? Het is of hij of ik, dacht ik. Zodra hij zijn explosie gehad had en zijn spul had afgeleverd, greep ik naar mijn jaszak en haalde er mijn trouwe hoedespeld uit.'

'En je hebt hem van Jetje gegeven?'

'Ja, maar je moet niet vergeten dat ik deze keer een backhand moest geven en dat was niet zo eenvoudig. Het is moeilijk zo veel kracht te zetten.'

'Dat snap ik.'

'Gelukkig is mijn backhand altijd mijn sterkste punt geweest.'

'Met tennissen bedoel je?'

'Ja,' zei ze.

'En was het de eerste keer raak?'

'Tot aan de base-line,' zei ze. 'Dieper dan de koning van Spanje. Een kampioensslag.'

'Protesteerde hij?'

'Och Jezus,' zei ze, 'hij gilde als een speenvarken. En hij danste de kamer door terwijl hij zich bij zijn billen vasthield en schreeuwde: "Céleste! Céleste! Haal de dokter! Ik ben gestoken!" Het mens moet door het sleutelgat hebben staan kijken want ze kwam onmiddellijk de kamer binnenstormen en rende op hem af terwijl ze schreeuwde: "Waar? Waar? Laat zien!" En terwijl ze zijn achterkant inspecteerde rukte ik hem dat zo belangrijke ding af en rende de kamer uit terwijl ik mijn broek optrok.'

'Bravo,' zei ik. 'Wat een triomf.'

'Eerder een lolletje,' zei ze. 'Ik vond het best leuk.'

'Dat vind je altijd.'

'Heerlijke slakken,' zei ze. 'Grote sappige.'

'De slakkenboerderijen zetten ze eerst twee dagen op zaagsel voor ze ze verkopen,' zei ik.

'Waarom?'

'Zodat de slakken eerst hun afval kunnen kwijtraken. Wanneer kreeg je het getekende briefpapier te pakken? Meteen in het begin?'

'In het begin, ja. Dat doe ik altijd.'

'Maar waarom stond er boulevard Hausmann op, in plaats van rue Laurent-Pichet?'

'Dat heb ik hem ook gevraagd,' zei ze. 'Hij vertelde me dat hij daar vroeger woonde. Hij was nog maar pas verhuisd.'

'Dan is het in orde,' zei ik.

Ze haalden de lege slakkehuizen weg en vlak daarop brachten ze de hoenders. Met hoenders bedoel ik Schotse sneeuwhoenders. Ik bedoel geen korhoen (zwarte haan en grijze hen) of auerhoen (Tetrao urogallus) of sneeuwhoen (Lagopus mutus). Die andere zijn uitstekend, vooral sneeuwhoen, maar Schots sneeuwhoen is het beste. En ervan uitgaande dat het vogels van het jaar zijn, is er geen malser of smakelijker vlees op de hele wereld. De jacht gaat open op twaalf augustus, en ieder jaar zie ik met nog groter ongeduld uit naar die datum dan naar de eerste september, wanneer de oesters uit Colchester en Whitstable komen. Schotse sneeuwhoen moet, net als een goede ossehaas, rood gegeten worden, waarbij het bloed net iets donkerder dan scharlaken is, en bij Maxim zouden ze niet willen dat je het anders bestelt.

We aten ons hoentje langzaam, een dun plakje van de borst per keer, en lieten het op de tong smelten om ieder hapje te laten volgen door een slokje van de geurige Volnay.

'Wie is de volgende op de lijst?' vroeg Yasmin me.

Daar had ik zelf ook over zitten denken, en ik zei nu tegen haar: 'Het was de bedoeling dat het James Joyce was, maar misschien zou het wel leuk zijn als we een klein uitstapje naar Zwitserland maakten om eens van omgeving te veranderen.'

'Daar heb ik wel zin in,' zei ze. 'Wie zit er in Zwitserland?'

'Nijinski.'

'Ik dacht dat hij hier was bij die Diagilew.'

'Dat zou ik wel willen,' zei ik, 'maar het schijnt dat hij een beetje maf geworden is. Hij denkt dat hij met God getrouwd is en hij loopt rond met een groot gouden kruis om zijn nek.'

'Wat een pech,' zei Yasmin. 'Betekent dat dat hij nooit meer zal dansen?'

'Dat is niet te zeggen,' zei ik. 'Ik heb gehoord dat hij een paar weken geleden nog in een hotel in Sankt Moritz danste. Maar dat was alleen voor de lol, om de gasten te amuseren.'

'Woont hij in een hotel?'

'Nee, hij heeft een villa boven Sankt Moritz.'

'Alleen?'

'Helaas niet,' zei ik. 'Hij heeft een vrouw en een kind en een hele stoet bedienden. Hij is rijk. Hij kreeg altijd fabelachtige hoeveelheden geld. Ik weet dat Diagilew hem vijfentwintigduizend frank per voorstelling betaalde.'

'Lieve hemel. Heb je hem ooit zien dansen?'

'Eén keer maar,' zei ik. 'In het jaar dat de oorlog uitbrak, negentienveertien, in het oude Palace Theatre in Londen. Hij danste *Les Sylphides*. Het was ongelooflijk. Hij danste als een god.'

'Ik brand van verlangen om hem te ontmoeten,' zei Yasmin. 'Wanneer vertrekken we?'

'Morgen,' zei ik. 'We moeten in beweging blijven.'

19

Nu ik hier ben aangeland met mijn verhaal, en net onze reis naar Zwitserland om Nijinski te zoeken wil beschrijven, wil mijn pen plotseling niet verder omdat ik twijfels begin te koesteren. Was ik misschien in een sleur aan het raken? Begon ik mezelf te herhalen? Yasmin zou een ontzettende hoeveelheid fascinerende mensen ontmoeten in de komende twaalf maanden, dat leed geen twijfel. Maar in bijna ieder geval (afgezien van een of twee uitzonderingen) zou er min of meer hetzelfde gebeuren. Eerst het voeren van cantharidekeverpoeder, daarna de uitbarsting, de ontsnapping met de buit en wat daar weer na kwam, en hoe interessant die mannen allemaal ook mochten zijn, voor de lezer zou het uiteindelijk allemaal nogal vervelend worden. Niets zou voor mij eenvoudiger zijn dan tot in de kleinste details te beschrijven hoe we samen Nijinski ontmoetten op een pad in de naaldbossen onder zijn villa, zoals gebeurde, en hoe we hem een bonbon gaven en hoe we hem negen minuten aan de praat hielden tot het poeder begon te werken en hoe hij Yasmin achternazat in het donkere bos, waarbij hij van rots tot rots sprong en met iedere sprong zo hoog de lucht in ging dat hij leek te vliegen. Maar als ik dat zou doen, zou ik ook de ontmoeting met James Joyce moeten beschrijven, Joyce in Parijs, Joyce in een donkerblauw serge pak, een zwarte vilten hoed, oude gymschoentjes aan zijn voeten, wriemelend aan een jonge esdoorn en vieze praatjes uitslaand. Na Joyce kwamen Bonnard en Braque aan de beurt en daarna een snelle reis terug naar Cambridge om onze kostbare buit in het Semenhuis op te slaan. Het was een heel snel reisje omdat Yasmin en ik er nu de slag van hadden en we wilden doorstromen tot we klaar waren.

A. R. Woresley was razend enthousiast toen we hem onze vangst lieten zien. We hadden nu koning Alfonso, Renoir, Monet, Matisse, Proust, Strawinsky, Nijinski, Joyce, Bonnard en Braque. 'En je hebt keurig werk geleverd met het invriezen,' zei

hij tegen me terwijl hij de rekjes met rietjes met hun naameti-
ketjes van mijn koffer-vrieskist naar de grote vriezer in 'Dunroamin', ons hoofdkwartier, overbracht. 'Ga zo door, kinderen,'
zei hij terwijl hij als een kruidenier in zijn handen wreef. 'Ga zo
door.'

We gingen door. Het was nu begin oktober en we trokken
naar het zuiden, naar Italië, op zoek naar D.H. Lawrence. We
vonden hem in het Palazzo Ferraro in Capri, samen met Frieda,
en deze keer moest ik dikke Frieda twee uur weglokken naar de
rotsen terwijl Yasmin Lawrence te pakken nam. Toch heeft
Lawrence ons aan het schrikken gemaakt. Toen ik zijn semen
snel naar ons hotel op Capri bracht en het onder de microscoop
inspecteerde, merkte ik dat alle spermatozoïden morsdood waren. Ze bewogen zich absoluut niet.

'Jezus,' zei ik tegen Yasmin. 'Die kerel is steriel.'

'Zo gedroeg hij zich anders niet,' zei zij. 'Hij leek wel een
bok. Een geile bok.'

'We zullen hem van de lijst moeten schrappen.'

'Wie volgt?' vroeg ze.

'Giacomo Puccini.'

20

'Puccini is een grote,' zei ik. 'Een reus. Het mag niet fout gaan.'

'Waar woont hij?' vroeg Yasmin.

'Bij Lucca, ongeveer zestig kilometer ten westen van Florence.'

'Vertel eens iets over hem.'

'Puccini is een enorm rijk en beroemd man,' zei ik. 'Hij heeft een reusachtig huis laten bouwen, de Villa Puccini, aan de oever van een meer bij het kleine dorpje waar hij geboren is, Torre del Lago. Dat is nu de man die *Manon, La Bohème, Tosca, Madame Butterfly* en *Het meisje uit het Gouden Westen* schreef. Stuk voor stuk klassiekers. Hij is waarschijnlijk geen Mozart of Wagner, of zelfs maar een Verdi, maar toch is hij een genie en een reus. En hij staat ook zijn mannetje.'

'In welk opzicht?'

'Geweldige vrouwenversierder.'

'Fantastisch.'

'Hij is nu eenenzestig, maar dat houdt hem niet tegen,' zei ik. 'Het is een rouwdouwer, een drinker, een wilde chauffeur, een bezeten sportvisser en een even bezeten eendejager. Maar hij is vooral een geilaard. Iemand zei een keer over hem dat hij jaagt op vrouwen, wild en libretti, in die volgorde.'

'Lijkt me een geschikte kerel.'

'Een prima knaap,' zei ik. 'Hij heeft een vrouw, een oude tang die Elvira heet, en geloof het of niet, maar die Elvira is eens tot vijf maanden gevangenis veroordeeld omdat ze de dood van een van de vriendinnetjes van Puccini veroorzaakt heeft. Het was een van hun dienstmeisjes, en die monsterachtige Elvira betrapte Puccini een keer 's nachts met haar in de tuin. Ze maakte een ontzettende scène, het meisje werd ontslagen en Elvira bleef haar zo hardnekkig achternazitten dat het arme schaap vergif innam en zo zelfmoord pleegde. Haar familie sleepte Elvira voor de rechter en ze kreeg vijf maanden in de nor.'

'Heeft ze die uitgezeten?'

'Nee,' zei ik. 'Puccini heeft haar er uitgekregen door twaalf-duizend lire aan de familie van het meisje te betalen.'

'En wat is het plan nu?' vroeg Yasmin me. 'Klop ik gewoon aan en loop naar binnen?'

'Dat zal niet lukken,' zei ik. 'Hij wordt door trouwe waak-honden en die verdomde vrouw omringd. Je komt nooit in zijn buurt.'

'Wat stel je dan voor?'

'Kun je zingen?' vroeg ik haar.

'Ik ben geen Melba,' zei Yasmin, 'maar ik heb best een aardi-ge stem.'

'Uitstekend,' zei ik. 'Dat is dan dat. Zo zullen we het aan-pakken.'

'Hoe?'

'Dat vertel ik je onderweg wel,' zei ik.

We waren net van Capri op het vasteland teruggekeerd en waren nu in Sorrento. Het was in dit deel van Italië warm ok-toberweer en de hemel was blauw toen we de bagage in de trouwe Citroën Torpedo laadden en naar het noorden, richting Lucca reden. We reden met open kap en het was een genoegen over de prachtige kustweg van Sorrento naar Napels te rijden.

'Laat ik je om te beginnen vertellen hoe Puccini Caruso ont-moette,' zei ik, 'want dat heeft te maken met wat jij zal gaan doen. Puccini was wereldberoemd. Caruso was zo goed als on-bekend, maar hij verlangde wanhopig de rol van Rodolfo te krijgen in een toekomstige produktie van *La Bohème* in Livor-no. Daarom verscheen hij op een goede dag bij de Villa Puccini en vroeg de grote man te spreken. Bijna iedere dag probeerden tweederangs zangers Puccini te spreken te krijgen en hij moest tegen deze mensen beschermd worden omdat hij anders geen rust zou krijgen. "Zeg hem dat ik bezig ben," zei Puccini. De bediende zei Puccini dat die man pertinent weigerde weg te gaan. "Hij zegt dat hij zo nodig een jaar in uw tuin zal bivak-keren." "Hoe ziet hij eruit?" vroeg Puccini. "Het is een klein mollig kereltje met een snor en een hoedje op. Hij zegt dat hij Napolitaan is." "Wat voor stem heeft hij?" vroeg Puccini. "Hij zegt dat hij de beste tenor ter wereld is." "Dat zeggen ze allemaal," zei Puccini, maar er was iets dat hem dwong het boek dat hij aan het lezen was neer te leggen, tot op vandaag weet hij niet wat dat was, en naar de hal te gaan. De voordeur stond open en de kleine Caruso stond er vlak voor, in de tuin. "En wie ben jij nou weer," riep Puccini. Caruso verhief zijn volle fantastische stem en antwoordde in de woorden van Rodolfo uit *La Bohème*: "Chi son? Sono un poeta..." "Wie ik ben? Ik ben een dichter." Puccini was helemaal ondersteboven van de kwaliteit van zijn stem. Hij had nog nooit zo'n stem gehoord. Hij rende op Caruso af en omarmde hem en riep uit: "Rodolfo is voor jou!' Dat is een waar verhaal, Yasmin. Puccini vindt het zelf heerlijk om het te vertellen. En Caruso is nu natuurlijk echt de beste tenor ter wereld en Puccini en hij zijn de beste vrienden. Ongelooflijk verhaal, vind je ook niet?'

'Wat heeft dat met mijn zingen te maken?' vroeg Yasmin. 'Puccini zal van mijn stem nauwelijks ondersteboven raken.'

'Natuurlijk niet. Maar het principe is hetzelfde. Caruso wilde een rol. Jij wilt drie kubieke centimeter semen. Dat laatste kan Puccini gemakkelijker weggeven dan het eerste, vooral aan iemand die zo aantrekkelijk is als jij. Het zingen is alleen maar een manier om zijn aandacht te trekken.'

'Ga dan maar verder.'

'Puccini werkt alleen maar 's nachts,' zei ik, 'van ongeveer half elf tot een uur of drie, vier in de ochtend. Om die tijd ligt de rest van het huis te slapen. Tegen middernacht sluipen jij en ik de tuin van Villa Puccini binnen en zoeken zijn atelier op, dat geloof ik op de begane grond is. Er staat vast een raam open want de nachten zijn nog warm. Terwijl ik me dus in de struiken verstop ga jij buiten het open raam staan en zingt zachtjes de zoete aria "Un bel di vedremo" uit *Madame Butterfly*. Als alles goed gaat zal Puccini naar het raam rennen en daar zal hij een meisje van een onvergelijkelijke schoonheid zien staan – jij. De rest is kinderspel.'

'Dat lijkt me wel wat,' zei Yasmin. 'Italianen zingen altijd voor elkaars raam.'

Toen we in Lucca kwamen doken we onder in een klein hotelletje en daar, naast een oude piano in de zitkamer van het hotel, leerde ik Yasmin die aria zingen. Ze kende vrijwel geen

Italiaans maar ze leerde de woorden al snel uit haar hoofd en tenslotte kon ze de hele aria werkelijk heel aardig zingen. Haar stem was niet geweldig maar volkomen zuiver. Daarna leerde ik haar in het Italiaans zeggen: 'Maestro, ik aanbid uw werk. Ik ben helemaal uit Engeland gekomen...' enzovoorts enzovoorts, en een aantal andere nuttige zinnetjes, inbegrepen natuurlijk: 'Ik vraag u alleen maar uw handtekening op uw eigen briefpapier.'

'Ik denk dat je bij deze kerel geen Kever nodig zal hebben,' zei ik.

'Dat denk ik ook niet,' zei Yasmin. 'Laten we dat maar voor een keer achterwege laten.'

'En ook geen hoedespeld,' zei ik haar. 'Deze man is een van mijn helden. Ik wil niet dat hij gestoken wordt.'

'Als we de Kever niet gebruiken heb ik ook geen hoedespeld nodig,' zei ze. 'Ik verheug me echt op deze, Oswald.'

'Het zou leuk moeten zijn,' zei ik.

Toen alles in gereedheid was reden we op een middag naar de Villa Puccini om de omgeving te verkennen. Het was een reusachtig landhuis aan de oever van een groot meer en volledig omheind met een meer dan manshoog ijzeren hek met scherpe pieken. Niet zo best. 'We zullen een ladder nodig hebben,' zei ik. Daarom reden we naar Lucca terug en kochten een houten ladder die we in de open auto legden.

Vlak voor middernacht stonden we weer buiten de Villa Puccini. We waren klaar voor de slag. De nacht was donker en warm en stil. Ik zette de ladder tegen het hek. Ik klom naar boven en sprong in de tuin. Yasmin volgde. Ik trok de ladder naar onze kant en liet hem daar staan, klaar voor de vlucht.

We zagen onmiddellijk de enige kamer in het hele huis die verlicht was. Hij zag uit op het meer. Ik pakte Yasmin bij haar hand en we slopen dichterbij. Hoewel er geen maan was, spiegelde het licht van de twee grote ramen in het water van het meer en wierp een bleek licht op het huis en de tuin. De tuin was vol bomen en bosjes en struiken en bloembedden. Dat zag ik wel zitten. Het was wat Yasmin noemde 'kinderspel'. Toen we dichter bij het raam kwamen hoorden we de piano. Er stond een raam open. Op onze tenen slopen we er naartoe en gluur-

den naar binnen. En daar zat hij, in eigen persoon, in hemdsmouwen aan een gewone piano met een sigaar in zijn mond
een eind weg te pingelen, zo nu en dan stoppend om iets op te
schrijven om daarna weer verder te pingelen. Hij was gezet, had
een klein buikje en een zwarte snor. Aan beide kanten van de
piano zat een grote zwaar bewerkte koperen kandelaar bevestigd, maar de kaarsen waren niet aangestoken. Er stond een
grote opgezette witte vogel, een soort kraanvogel, op een plank
naast de piano. En aan de muren van het atelier hingen schilderijen van Puccini's gevierde voorouders – zijn over-overgroot-
vader, zijn overgrootvader, zijn grootvader en zijn eigen vader.
Al die mannen waren beroemde musici geweest. Meer dan
tweehonderd jaar lang hadden de mannelijke Puccini's hun grote muzikale gaven aan hun kinderen doorgegeven. Als ik de
hand op Puccini-rietjes kon leggen zouden die een ongelooflijke
waarde vertegenwoordigen. Ik besloot er honderd te maken in
plaats van de gebruikelijke vijftig.

En zo stonden wij, Yasmin en ik, door het open raam naar de
grote man te gluren. Ik merkte op dat hij een hoofd vol mooi
zwart haar had dat van zijn voorhoofd recht naar achteren was
geborsteld.

'Ik ga me nu verstoppen,' fluisterde ik tegen Yasmin. 'Wacht
tot hij ophoudt met spelen en ga dan zingen.'

Ze knikte.

'Ik zie je bij de ladder.'

Ze knikte weer.

'Succes,' zei ik en ik sloop weg en ging achter een bosje
staan op niet meer dan vijf meter van het raam. Door de bladeren van het bosje kon ik niet alleen Yasmin nog zien maar ook
kon ik in de kamer kijken waar de componist zat, omdat het
grote raam tot vlak boven de grond doorliep.

De piano pingelde. Er was een pauze. Hij pingelde weer. Hij
was bezig een melodie met een vinger uit te werken en het was
geweldig om ergens in Italië om middernacht aan de oever van
een meer te staan en naar Giacomo Puccini te luisteren die ongetwijfeld bezig was een prachtige aria voor een nieuwe opera
te componeren. Er was weer een pauze. Deze keer had hij de
passage goed en noteerde hij hem. Hij leunde voorover met een

pen in zijn hand terwijl hij op het manuscript voor hem schreef. Hij pende de muzieknoten boven de woorden van de librettist.

Toen begon plotseling, in de absolute stilte die er hing, Yasmins zoete stemmetje 'Un bel di vedremo' te zingen. Het effect was verbluffend. Op die plek, in die atmosfeer, in de donkere nacht bij het meer buiten Puccini's raam werd ik tot tranen geroerd. Ik zag de componist verstarren. De pen lag in zijn hand en rustte op het papier en verstarde ook en zijn hele lichaam werd onbeweeglijk terwijl hij naar de stem buiten zijn raam luisterde. Hij keek niet om. Ik denk dat hij zich niet durfde om te draaien uit angst de betovering te verbreken. Buiten zijn raam zong een jong meisje een van zijn favoriete aria's met een zachte, heldere stem en volkomen zuiver. De uitdrukking op zijn gezicht veranderde niet. Zijn mond bewoog niet. Niets aan hem bewoog terwijl die aria gezongen werd. Het was een magisch ogenblik. Toen hield Yasmin op met zingen. Puccini bleef nog een paar seconden aan de piano zitten. Het leek of hij op nog meer wachtte of op een teken van buitenaf. Maar Yasmin bewoog en sprak evenmin. Ze bleef gewoon staan met haar gezicht naar het raam opgeheven en wachtte tot hij naar haar toekwam.

En komen deed hij. Ik zag hem zijn pen neerleggen en langzaam van de pianokruk opstaan. Hij liep naar het raam. Toen zag hij Yasmin. Ik heb het al vaak over haar sprankelende schoonheid gehad en haar daar zo rustig en sereen te zien staan moet Puccini een geweldige schok gegeven hebben. Hij staarde. Hij gaapte haar aan. Was dit een droom? Toen glimlachte Yasmin naar hem en daarmee was de betovering verbroken. Ik zag hem plotseling uit zijn trance wakkerschrikken en hoorde hem zeggen: 'Dio mio come bello!' Toen sprong hij dwars door het raam naar buiten en omarmde Yasmin heftig.

Dat lijkt er meer op, dacht ik. Dat was de echte Puccini. Yasmin reageerde niet traag. Toen hoorde ik hem zachtjes in het Italiaans tegen haar zeggen, en ik weet zeker dat Yasmin hem niet verstond: 'We moeten naar binnen gaan. Als de piano te lang ophoudt met spelen wordt mijn vrouw wakker en wantrouwig.' Ik zag dat hij daarbij glimlachte en zijn mooie witte tanden liet zien. Toen tilde hij Yasmin op en duwde haar door het raam naar binnen en klom er zelf achteraan.

Ik ben geen voyeur. Ik heb A.R.Woresleys capriolen met Yasmin om zuiver professionele redenen bespied, maar ik was niet van plan door het raam naar Yasmin en Puccini te gluren. De geslachtsdaad is net zoiets als in je neus peuteren. Als je het zelf doet is het prima in orde, maar voor de toeschouwer is het een buitengewoon onaantrekkelijk schouwspel. Ik liep weg. Ik klom de ladder op en sprong aan de andere kant weer naar beneden en ging een wandeling maken langs de oever van het meer. Ik bleef ongeveer een uur weg. Toen ik bij de ladder terugkeerde was er nog geen teken van Yasmin te bekennen. Toen er drie uur verlopen waren klom ik weer de tuin in om op onderzoek uit te gaan.

Ik sloop net voorzichtig door de bosjes toen ik plotseling voetstappen op het grindpad hoorde en Puccini zelf met Yasmin aan zijn arm op nog geen drie meter langs me zag lopen. Ik hoorde hem in het Italiaans tegen haar zeggen: 'Een heer laat een dame nooit op dit uur van de nacht in haar eentje naar Lucca teruglopen.'

Ging hij haar te voet naar het hotel brengen? Ik volgde ze om te zien waar ze naartoe gingen. Puccini's automobiel stond op de oprijlaan voor het huis. Ik zag hem Yasmin naast de bestuurdersplaats helpen. Daarna slaagde hij erin met veel moeite en lucifers de acetyleenlampen aan te krijgen. Hij zwengelde aan de slinger. De motor sloeg aan en bleef draaien. Hij opende het hek, sprong op de bestuurdersplaats en weg waren ze, met brullende motor.

Ik rende naar mijn eigen auto en kreeg hem aan de praat. Ik reed snel naar Lucca maar slaagde er niet in Puccini in te halen. Ik was eigenlijk nog maar halverwege toen hij me al op de terugweg tegemoetkwam, deze keer alleen.

Ik trof Yasmin in het hotel aan.

'Heb je het semen?'

'Natuurlijk,' zei ze.

'Geef snel hier.'

Ze stak het me toe en tegen de ochtend had ik honderd Puccini-rietjes van goede kwaliteit gemaakt. Terwijl ik daarmee bezig was zat Yasmin in een leunstoel in mijn kamer rode Chianti te drinken en deed verslag.

'Een geweldige nacht,' zei ze. 'Werkelijk fantastisch. Ik zou willen dat ze allemaal zo waren.'

'Goed zo.'

'Hij was zo *gezellig*,' zei ze. 'Veel gelachen. En hij heeft me een stukje uit de nieuwe opera waar hij mee bezig is voorgezongen.'

'Zei hij hoe die gaat heten?'

'Turio,' zei ze. 'Turidot. Zoiets.'

'Gaf het vrouwtje boven geen moeilijkheden?'

'Geen last van gehad,' zei ze. 'Maar het was zo grappig, want zelfs toen we hartstochtelijk op de sofa bezig waren moest hij zo nu en dan zijn arm uitsteken en op de piano rammen. Alleen maar om haar te laten weten dat hij hard aan het werk was en niet bezig was een vrouw te rammen.'

'Een groot man volgens jou?'

'Geweldig,' zei Yasmin. 'Verpletterend. Duikel er nog maar eens zo een voor me op.'

We reden van Lucca naar het noorden, naar Wenen, en onderweg bezochten we Sergej Rachmaninow in zijn fraaie huis aan het meer van Luzern.

'Het is grappig,' zei Yasmin tegen me toen ze bij de auto terugkeerde na wat kennelijk een tamelijk inspannende sessie met de grote musicus geweest was. 'Het is grappig, maar er is een opvallende gelijkenis tussen Rachmaninow en Strawinsky.'

'Bedoel je van gezicht?'

'Ik bedoel alles,' zei ze. 'Ze hebben allebei kleine lichamen en grote bonkige gezichten. Enorme aardbei-neuzen. Prachtige handen. Kleine voeten. Dunne benen. En reusachtige piemels.'

'Is je ervaring tot nu toe,' vroeg ik haar, 'dat genieën grotere piemels hebben dan gewone mensen?'

'Absoluut,' zei ze. 'Veel groter.'

'En ze maken er een beter gebruik van,' zei ze om nog wat zout in de wond te wrijven. 'En ze hebben een fantastische techniek.'

'Nonsens.'

'Het is geen nonsens, Oswald. Ik kan het weten.'

'Je vergeet dat ze allemaal de Kever gehad hebben.'

'De Kever helpt,' zei ze. 'Natuurlijk helpt die. Maar de manier waarop een groot creatief genie zijn zwaard hanteert en de manier waarop een gewone sterveling dat doet, zijn niet te vergelijken. Daarom heb ik zoveel plezier.'

'Ben ik een gewone sterveling?'

'Nou moet je niet zo aangebrand doen,' zei ze. 'We kunnen niet allemaal Rachmaninow of Puccini zijn.'

Ik was diep gekwetst. Yasmin had me op mijn gevoeligste plek geraakt. Ik bleef de hele weg naar Wenen zitten mokken, maar de aanblik van die edele stad bracht me weer snel mijn humeur terug.

In Wenen had Yasmin een vermakelijke ontmoeting met doctor Sigmund Freud in zijn spreekkamer aan de Berggasse 19, en ik denk dat dit bezoek de moeite van een kort verslag waard is.

Om te beginnen deed ze een keurige aanvrage voor een afspraak met de beroemde man, waarin ze beweerde dat ze dringend psychiatrische behandeling nodig had. Ze zeiden haar dat ze vier dagen moest wachten. Daarom zorgde ik ervoor dat ze haar tijd nuttig kon besteden door eerst de grootheid Richard Strauss te bezoeken. Strauss was net tot co-dirigent van de Weense Staatsopera benoemd en hij deed volgens Yasmin nogal gewichtig. Maar hij was een gemakkelijk slachtoffer en hij bracht vijftig uitstekende rietjes op.

Toen was het de beurt aan dr. Freud. Ik beschouwde de beroemde psychiater als iemand die in de halfnarren-klasse zat en ik zag niet in waarom we met hem niet wat lol konden hebben. Yasmin was het daarmee eens. Daarom verzonnen we met zijn tweeën een interessante psychiatrische ziekte waar zij aan kon lijden, en zo toog ze op een koele, zonnige oktobermiddag om half drie naar het grote, uit grijze natuursteen opgetrokken gebouw aan de Berggasse. Hier volgt haar eigen beschrijving van haar ontmoeting zoals ze me die later die dag onder het genot van een fles Krug gaf, nadat ik de rietjes had ingevroren.

'Het is een oenige ouwe vogel,' zei ze. 'Hij ziet er heel streng en keurig gekleed uit, zo ongeveer als een bankier.'

'Sprak hij Engels?'

'Tamelijk goed Engels, maar met dat afschuwelijke Duitse accent. Hij liet me aan de andere kant van zijn bureau plaatsnemen en ik bood hem onmiddellijk een bonbon aan. Hij nam hem keurig aan. Is het niet vreemd, Oswald, hoe ze allemaal zonder tegenstribbelen die bonbon aannemen?'

'Ik vind het niet zo vreemd,' zei ik. 'Het is de normaalste zaak van de wereld. Als een knap meisje mij een bonbon aan zou bieden zou ik die ook aannemen.'

'Het was een behaard soort man,' ging Yasmin verder. 'Hij had een snor en een volle puntbaard die er uitzag alsof hij voor een spiegel heel zorgvuldig met een schaar bijgeknipt was. Grijswit was hij. Maar het haar was om zijn mond goed weggeknipt zodat het een soort omlijsting voor zijn lippen vormde. Vooral die vielen me op, die lippen. Zijn lippen waren heel opvallend en erg dik. Ze zagen eruit alsof een paar valse rubber lippen over de echte waren geplakt.

"So, mein Fräulein," zei hij terwijl hij zijn bonbon oppeuzelde, "vertelt u me nu maar eens over dat dringende probleem van u."

"Oh, dr. Freud, ik hoop zo dat u mij kunt helpen," riep ik terwijl ik me zonder omhaal in de zenuwen gooide. "Kan ik eerlijk tegen u zijn?"

"Daarvoor bent u hier," zei hij. "Gaat u daar op die rustbank liggen, bitte, en laat u zich maar gaan."

Ik ging dus op die verdomde bank liggen, Oswald, en terwijl ik dat deed dacht ik dat ik voor een keer op een comfortabele plaats zou zijn als het vuurwerk begon.'

'Daar kan ik inkomen.'

'Dus ik zei tegen hem: "Er is iets verschrikkelijk mis met me, dr. Freud! Iets vreselijks en ontstellends."

"En was ist das?" vroeg hij, opverend. Kennelijk hield hij ervan over verschrikkelijke en ontstellende dingen te horen vertellen.

"U zult het niet geloven," zei ik, "maar het is me onmogelijk langer dan een paar minuten in het gezelschap van een man te verkeren zonder dat hij probeert me te verkrachten! Het worden wilde beesten! Ze scheuren me de kleren van het lijf! Ze ontbloten hun orgaan... is dat het juiste woord?"

"Zo goed als ieder ander woord," zei hij. "Gaat u door, Fräulein."

"Ze springen bovenop me!" schreeuwde ik. "Ze drukken me

tegen de grond! Ze leven hun lusten op me uit! Alle mannen die ik ontmoet doen het met me, dr. Freud! U moet me helpen! Ik word verkracht tot ik erin blijf!"

"Meine liebe," zei hij, "dit is een heel normale fantasie bij een bepaald soort hysterische Frauen. Die Frauen zijn allemaal bang lichamelijk contact met mannen te hebben. Eigenlijk willen ze niets liever dan zich uitleven in vogelen en copuleren en andere seksuele geneugten, maar ze zijn doodsbang voor de consequenties. Daarom fantasieren ze. Ze verbeelden zich dat ze verkracht worden. Maar dat gebeurt nimmer. Het zijn allemaal Magden."

"Nee, nee!" riep ik. "U heeft het helemaal mis, dr. Freud! Ik ben geen maagd! Ik ben het meest verkrachte meisje van de wereld!"

"U hallucineert," zei hij. "Niemand heeft u ooit verkracht. Warum geeft u dat niet toe en u zult zich onmiddellijk beter voelen."

"Hoe kan ik dat toegeven als het niet waar is?" riep ik uit. "Alle mannen die ik ooit ontmoet heb, hebben me gepakt! En als ik hier nog langer blijf zult u dat ook doen, let maar op!"

"Dat is flauwekul, Fräulein," zei hij geprikkeld.

"Let maar op, let maar op!" riep ik. "Voor dit consult om is zult u net zo lelijk gedaan hebben als al die anderen!"

Toen ik dat zei, Oswald, draaide die ouwe bok zijn ogen naar boven en glimlachte hooghartig. "Fantasie, fantasie," zei hij, "allemaal fantasie."

"Waarom denkt u dat u zo gelijk heeft en ik ongelijk?" vroeg ik hem.

"Als u het mij toestaat zal ik het u proberen uit te leggen," zei hij terwijl hij in zijn stoel achteroverleunde en zijn handen op zijn buik legde. "In uw onderbewuste geest, lieber Fräulein, gelooft u dat het mannelijke orgaan een machinegeweer is..."

"Wat mij aangaat is het dat precies!" riep ik uit. "Het is een dodelijk wapen."

"Precies," zei hij. "Jetzt zijn we op de goede weg. En u gelooft ook dat iedere man die hem op u richt aan de trekker zal trekken en u met kogels zal doorzeven."

"Geen kogels," zei ik. "Iets anders."

"En daarom vlucht u weg," zei hij. "U verwerpt alle mannen. U verbergt zich voor ze. U brengt de nachten in uw eentje door..."

"Ik breng mijn nachten niet alleen door," zei ik. "Ik breng ze door met mijn lieve oude Doberman Pincher, Fritzy."

"Reu of teef?" vroeg hij kortaf.

"Fritzy is een mannetje."

"Ist stets erger," zei hij. "Bent u met deze Doberman Pincher een seksuele Verhaltung aangegaan?"

"Doet u niet zo raar, dr. Freud. Wie denkt u dat ik ben?"

"U rent weg voor mannen," zei hij. "U rent weg voor honden. U rent weg voor alles dat ein Organ besitzt."

"Ik heb mijn hele leven nog niet zulke larie gehoord!" riep ik uit. "Ik ben bang voor niemands orgaan! Ik vind niet dat het een machinegeweer is! Ik vind het strontvervelend, dat is alles! Ik heb er mijn buik van vol! Ik heb er genoeg van!"

"Houdt u van wortelen, Fräulein?" vroeg hij plotseling.

"Wortelen?" zei ik. "Lieve hemel. Niet speciaal, nee. Als ik ze heb snijd ik ze meestal in plakjes. Ik hak ze fijn."

"En komkommers, Fräulein?"

"Nogal smakeloos," zei ik. "Ik heb ze liever uit het zuur."

"Ja ja," zei hij terwijl hij dat allemaal op mijn lijst schreef. "Misschien interesseert het u, Fräulein, dat de wortel en de komkommer beide zeer sterke seksuele symbolen zijn. Ze stellen het mannelijke fallische lid voor. En u wilt ze fijnhakken of in het zuur leggen!"

Ik moet wel zeggen, Oswald,' zei Yasmin tegen me, 'dat het niet veel langer moest duren of ik was in keihard lachen uitgebarsten. En als je bedenkt dat er mensen zijn die echt in deze apekool geloven.'

'Hij gelooft het zelf,' zei ik.

'Dat weet ik. Hij zat daar alles op een groot vel papier te schrijven. En toen zei hij: "En wat heeft u me verder nog te vertellen, Fräulein?"

"Ik zou u kunnen vertellen wat er volgens mij met me aan de hand is," zei ik.

"Gaat u verder."

"Ik geloof dat ik een kleine dynamo van binnen heb," zei ik, "en dat die dynamo de hele tijd ronddraait en een ontzettende hoeveelheid seksuele energie afgeeft."

"Zeer interessant," zei hij driftig pennend. "Gaat u verder."

"Deze seksuele elektriciteit heeft zo'n hoog voltage," zei ik, "dat zodra een man dicht bij me komt, die spanning tussen ons overspringt en hem opfokt."

"Was heisst das, bitte, hem opfokt?"

"Dat betekent hem opwindt," zei ik. "Het brengt zijn edele delen op spanning. Het maakt hem roodgloeiend. En dat is het moment dat hij gek wordt en me bespringt. Gelooft u me, dr. Freud?"

"Dit is een ernstig geval," zei die oude knar. "Dat gaat heel wat psychoanalytische consulten op de bank kosten om u weer normaal te maken."

Al die tijd, Oswald,' zei Yasmin tegen me, 'hield ik een oogje op mijn horloge. En toen er acht minuten verlopen waren zei ik tegen hem: "Alstublieft, dr. Freud, verkracht me niet. U zou boven dat soort dingen moeten staan."

"Doet u niet zo dwaas, Fräulein," zei hij. "U bent weer aan het hallucineren."

"Maar mijn elektriciteit!" riep ik. "Die gaat u opfokken! Ik weet het zeker! Die gaat van mij naar u overspringen en uw edele delen op spanning brengen! Uw piemel zal roodgloeiend worden! U zal mijn kleren van mijn lichaam scheuren! U zult uw lusten op me botvieren!"

"Houdt u onmiddellijk op met dat hysterische geschreeuw," zei hij streng, en hij stond op van zijn bureau en ging vlak bij de bank staan waar ik op lag. "Hier ben ik," zei hij, terwijl hij zijn armen uitspreidde. "Ik doe u geen kwaad, nicht wahr? Ik probeer niet u te bespringen, ja?"

En op hetzelfde moment, Oswald,' zei Yasmin tegen me, 'begon de Kever plotseling bij hem te werken en kwam zijn dingetje tot leven en stond rechtop alsof hij een wandelstok in zijn broek had.'

'Je hebt het uitstekend getimed,' zei ik.

'Niet gek, hè? Toen stak ik dus mijn arm uit en wees met een beschuldigend vingertje en riep: "Kijk! Nu gebeurt het ook bij u, ouwe bok! Mijn elektriciteit heeft u kortgesloten! Gelooft u me nu, dr. Freud? Gelooft u nu wat ik u verteld heb?"

Je had zijn gezicht eens moeten zien, Oswald. Je had het echt eens moeten zien. De Kever begon te werken en die seksbeluste vonk kwam in zijn ogen en hij begon als een ouwe kraai met zijn armen te klapperen. Maar ik moet hem één ding nageven. Hij heeft me niet meteen besprongen. Hij hield zich zeker een minuut in terwijl hij probeerde te analyseren wat er in godsnaam aan de hand was. Hij keek naar beneden naar zijn broek. Toen keek hij naar mij op. En hij begon te mompelen. "Dit is ongelooflijk...! verbazingwekkend...! hoe bestaat het...! ik moet aantekeningen maken... ik moet ieder ogenblik vastleggen. Wo ist mijn pen, Donnerwetter! Wo ist de inkt? Papier, papier! Ach, naar de hel dat papier! Verwijder uw kleren alstublieft, Fräulein! Ich kan nicht langer warten!" '

'Het zal een aardige schok voor hem geweest zijn,' zei ik.

'Hij stond op zijn grondvesten te schudden,' zei Yasmin. 'Het ondermijnde een van zijn beroemdste theorieën.'

'Je hebt hem toch niet gehoedespeld, hè?'

'Natuurlijk niet. Hij reageerde echt heel behoorlijk. Zodra hij zijn eerste explosie gehad had, en hoewel de Kever nog heel sterk werkte, sprong hij weg en rende spiernaakt naar zijn bureau terug en begon aantekeningen te maken. Hij moet wel een ontzettend sterke wil hebben. Een grote intellectuele nieuwsgierigheid. Maar hij was helemaal in de war en van streek door wat hem overkwam.

"Gelooft u me nu, dr. Freud?" vroeg ik hem.

"Ik moet u wel geloven!" riep hij. "U heeft een heel nieuw terrein geopend met die seksuele elektriciteit van u! Dit geval zal geschiedenis maken! Ik moet u vaker zien, Fräulein!"

"Dan gaat u me weer bespringen," zei ik. "U zult uzelf niet kunnen inhouden."

"Dat weet ik," zei hij, en hij glimlachte voor de eerste keer. "Dat weet ik, Fräulein, dat weet ik." '

Doctor Freud leverde ons vijftig eersteklas rietjes op.

21

Van Wenen reden we in de bleke herfstzon noordwaarts naar Berlijn. De oorlog was nog maar elf maanden voorbij en de stad was somber en droefgeestig, maar we moesten daar twee belangrijke personen bezoeken en ik was vastbesloten ze te pakken te nemen. De eerste was Albert Einstein, en Yasmin had een heel leuke en succesvolle ontmoeting met deze verbazingwekkende knaap in zijn huis aan de Haberlandstrasse 9.

'Hoe was het?' luidde de gebruikelijke vraag in de auto.

'Hij vond het geweldig,' zei ze.

'Jij dan niet?'

'Niet echt,' zei ze. 'Alleen maar hersens en geen lichaam. Geef mij Puccini maar.'

'Wil je die Italiaanse Romeo nou eens uit je hoofd zetten?'

'Ja, Oswald, ik zal het doen. Maar zal ik je eens iets raars vertellen? Die met de hersens, de grote intellecten, gedragen zich volkomen anders dan de kunstenaars als de Kever begint te werken.'

'Hoe dan?'

'Die knappe koppen stoppen en denken na. Ze proberen uit te zoeken wat er met ze aan de hand is en waarom dat gebeurd is. De kunstenaars accepteren het gewoon en vallen onmiddellijk aan.'

'Wat was Einsteins reactie?'

'Hij kon het niet geloven,' zei ze. 'Eigenlijk rook hij lont. Hij is de eerste die ooit het vermoeden had dat we hem te grazen namen. Kan je nagaan hoe knap hij is.'

'Wat zei hij?'

'Hij bleef staan en keek me van onder zijn borstelige wenkbrauwen aan en zei: "Er is hier iets heel verdachts aan de hand, Fräulein. Dit is niet mijn normale reactie op een knappe bezoekster."

"Hangt dat er niet vanaf hoe knap ze is?" vroeg ik.

"Nee, Fräulein, daar hangt het niet vanaf," zei hij. "Was dat wel een gewone bonbon die u mij gegeven hebt?"

"Heel gewoon," zei ik, en ik trilde een beetje. "Ik heb er zelf ook een gegeten."

Dat kleine mannetje was door de Kever flink opgehitst, Oswald, maar net als die oude Freud slaagde hij erin zich in het begin te beheersen. Hij liep de kamer op en neer en mompelde: "Wat is er met me aan de hand? Dit is niet natuurlijk... Er is iets mis... ik zou dit nooit goedkeuren..."

Ik zat in een verleidelijke pose op de sofa te wachten tot hij zou beginnen, maar niks, Oswald, absoluut niks. Meer dan vijf minuten blokkeerde zijn denkproces zijn vleselijke verlangens, of hoe je ze wilt noemen, volkomen. Ik kon zijn hersens bijna horen kraken terwijl hij erachter probeerde te komen.

"Professor Einstein," zei ik, "ontspan u toch." '

'Je had te maken met een van de grootste geesten van de wereld,' zei ik. 'Die man heeft een bovennatuurlijk denkvermogen. Probeer maar eens te begrijpen wat hij over relativiteit zegt en dan zal je begrijpen wat ik bedoel.'

'Het zou met ons afgelopen zijn als iemand doorheeft wat we doen.'

'Dat zal niemand,' zei ik. 'Er is maar één Einstein.'

Onze tweede belangrijke donor in Berlijn was Thomas Mann. Yasmin meldde dat hij aardig maar oninspirerend was.

'Net als zijn boeken,' zei ik.

'Waarom heb je hem dan uitgekozen?'

'Hij heeft aardig werk geschreven. Ik denk dat zijn naam wel zal voortleven.'

Mijn draagbare vloeibare-stikstofcontainer bevatte nu Puccini, Rachmaninow, Strauss, Freud, Einstein en Mann. Daarom gingen we weer terug naar Cambridge met onze kostbare lading.

A.R.Woresley was in alle staten. Hij begreep heel goed dat we met iets heel groots bezig waren. We waren alledrie in alle staten, maar ik was nog niet in de stemming om tijd te verliezen met feestjes. 'Nu we hier toch zijn,' zei ik, 'zullen we wat van de Engelse knapen afwerken. Morgen beginnen we.'

Joseph Conrad was waarschijnlijk de belangrijkste van hen,

dus hem namen we als eerste. Zijn adres was Capel House, Orlestone, Kent en half november reden we er naartoe. Om precies te zijn was het 16 november 1919. Ik heb al gezegd dat ik geen zin heb van al die bezoeken een gedetailleerd verslag te geven omdat ik mezelf dan te veel ga herhalen. Ik zal deze regel niet nog eens breken, tenzij we iets opwindends of vermakelijks tegenkomen. Ons bezoek aan Conrad was opwindend noch vermakelijk. Het was routine, hoewel Yasmin achteraf opmerkte dat hij een van de aardigste mannen was die ze tot dan toe ontmoet had.

Van Kent reden we naar Crowborough in Sussex, waar we H.G.Wells pakten. 'Die kan er wel mee door,' zei Yasmin toen ze weer naar buiten kwam. 'Nogal gezet en gewichtig doend maar verder best aardig. Dat is vreemd met grote schrijvers,' voegde ze eraan toe. 'Ze zien er zo gewoon uit. Je kan nergens aan zien dat ze groot zijn, zoals bij schilders. Een groot schilder ziet er op de een of andere manier altijd uit als een groot schilder. Maar de grote schrijver ziet er meestal uit als de kantoorbediende van een kaasfabriek.'

Van Crowborough reden we naar Rottingdean, ook in Sussex, om Rudyard Kipling te bezoeken. 'Een borstelige beer,' was Yasmins enige commentaar over hem. Vijftig rietjes van Kipling.

Het tempo zat er nu goed in en de volgende dag pakten we, ook in Sussex, sir Arthur Conan Doyle net zo gemakkelijk als het plukken van een kers. Yasmin belde gewoon aan en zei tegen het dienstmeisje dat opendeed dat ze van zijn uitgeverij kwam en dat ze hem belangrijke papieren kwam brengen. Ze werd onmiddellijk naar zijn studeerkamer gebracht.

'Wat vond je van meneer Sherlock Holmes?' vroeg ik haar.

'Niets bijzonders,' zei ze. 'Gewoon weer een schrijver met een dun potlood.'

'Wacht even,' zei ik. 'De volgende op de lijst is ook een schrijver, maar ik denk niet dat je die vervelend zal vinden.'

'Wie is het?'

'Bernard Shaw.'

We moesten door Londen rijden om bij Ayot St. Lawrence in Hertfordshire te komen, waar Shaw woonde, en onderweg vertelde ik Yasmin het een en ander over deze zelfvoldane literaire clown. 'Om te beginnen,' zei ik, 'is hij een bezeten vegetariër. Hij eet alleen rauwe groenten en fruit en granen. Ik betwijfel dan ook of hij de bonbon zal aannemen.'

'Wat gaan we dan doen? Stoppen we het in een wortel?'

'Wat dacht je van een radijsje?' stelde ik voor.

'Denk je dat hij dat opeet?'

'Waarschijnlijk niet,' zei ik. 'We kunnen beter een druif nemen. We zullen in Londen een mooie tros kopen en het poeder in een druif verstoppen.'

'Dan moet het lukken,' zei Yasmin.

'Het kan niet anders,' zei ik. 'Deze gabber doet het niet zonder de Kever.'

'Wat is er dan mis met hem?'

'Niemand weet het precies.'

'Beoefent hij de edele kunst niet?'

'Nee,' zei ik. 'Hij is niet in seks geïnteresseerd. Hij lijkt een soort kwee te zijn.'

'Verdomme.'

'Het is een stakerige babbelzieke oude kwee met een grenzeloze verwaandheid.'

'Wil je soms suggereren dat zijn mechaniek buiten werking is?' vroeg Yasmin.

'Ik weet het niet zeker. Hij is drieënzestig. Hij is op zijn tweeënveertigste getrouwd, een huwelijk uit kameraadschap en voor het gemak. Geen seks.'

'Hoe weet je dat?'

'Ik weet het niet zeker, maar dat is wat ze zeggen. Hij heeft zelf beweerd: "Ik heb geen seksueel geaarde avontuurtjes gehad voor mijn negenentwintigste..." '

'Een beetje achtergebleven.'

'Ik betwijfel of hij er überhaupt ooit een gehad heeft,' zei ik. 'Er hebben een heleboel beroemde vrouwen achter hem aangezeten, maar zonder succes. Pat Campbell, een uiterst aantrekkelijke actrice, zei: "Hij is een veelschrijver zonder pen." '

'Die vind ik leuk.'

'Zijn dieet,' zei ik, 'is opzettelijk ingesteld op geestelijke efficiency. "Ik beweer ronduit," heeft hij een keer geschreven, "dat een man die zich met whisky en dode lichamen voedt onmogelijk goed werk kan leveren." '

'In tegenstelling tot whisky en levende lichamen mag ik aannemen.'

Ad rem hoor, die Yasmin. 'Hij is marxistisch socialist,' voegde ik eraan toe. 'Hij vindt dat de staat alles moet regelen.'

'Dan is hij een nog groter rund dan ik al dacht,' zei Yasmin. 'Ik verkneukel me er al op zijn gezicht te zien als de Kever toeslaat.'

Onderweg kochten we in Londen een tros uitstekende Muscatel kasdruiven bij Jacksons op Piccadilly. Ze waren erg duur, erg licht en geelgroen en erg groot. Ten noorden van Londen stopten we aan de kant van de weg en haalden het blik met cantharidekeverpoeder te voorschijn.

'Zullen we hem een dubbele dosis geven?' vroeg ik.

'Driedubbel,' zei Yasmin.

'Denk je dat dat veilig is?'

'Als het waar is wat je allemaal over hem vertelt, zullen we het halve blik nodig hebben.'

'Goed, akkoord,' zei ik. 'Een driedubbele dosis.'

We kozen de druif uit die helemaal onderaan de tros hing en met een mes maakten we heel voorzichtig een keepje in de schil. Ik haalde er een beetje van het vlees uit en stopte er een driedubbele dosis van het poeder in en duwde het spul goed naar binnen met een speld. Toen vervolgden we onze weg naar Ayot St. Lawrence.

'Realiseer je je,' zei ik, 'dat dit de eerste keer is dat iemand een driedubbele dosis krijgt?'

'Ik maak me geen zorgen,' zei Yasmin. 'Die man is kennelijk totaal ondersekst. Ik vraag me af of hij geen eunuch is. Heeft hij een hoge stem?'

'Ik weet het niet.'

'Vervelende schrijvers,' zei Yasmin. Ze zakte dieper weg in haar stoel en bleef de rest van de rit korzelig zwijgen.

Het huis, dat als Shaw's Corner bekend stond, was een grote onopvallende hoop bakstenen in een mooie tuin. Toen ik voorreed was het tien voor half vijf.

'Wat moet ik doen?' vroeg Yasmin.

'Je loopt om het huis heen naar de achterkant en dan helemaal door tot achterin de tuin,' zei ik. 'Daar zal je een klein houten tuinhuisje met een schuin dak zien. Daar werkt hij. Hij zit er nu beslist. Je loopt gewoon naar binnen en steekt je bekende verhaal af.'

'Wat als zijn vrouw me ziet?'

'Dat is een risico dat je moet nemen,' zei ik. 'Waarschijnlijk zal het je wel lukken. En vertel hem dat je vegetariër bent. Daar houdt hij van.'

'Wat zijn de titels van zijn toneelstukken?'

'*Man and Superman,*' zei ik. '*The Doctor's Dilemma, Major Barbara, Caesar and Cleopatra, Androcles and the Lion* en *Pygmalion.*'

'Hij zal me vragen welke ik het beste vond.'

'Zeg maar *Pygmalion.*'

'Oké, ik zeg wel *Pygmalion.*'

'Vlei hem. Zeg hem dat hij niet alleen de grootste toneelschrijver, maar ook de grootste muziekcriticus is die ooit geleefd heeft. Je hoeft je geen zorgen te maken. Hij zal het woord wel voor je doen.'

Yasmin stapte de auto uit en liep met ferme pas het hek door en Shaws tuin in. Ik keek haar na tot ze achter het huis was verdwenen, waarna ik de weg verder afreed en een kamer nam bij een pub die 'The Waggon and Horses' heette. In de kamer stelde ik mijn installatie op en bracht alles in gereedheid voor de snelle omzetting van Shaws semen in bevroren rietjes. Een uur later reed ik terug naar Shaw's Corner om op Yasmin te wachten. Ik hoefde niet lang te wachten, maar ik ga niet vertellen wat daarna gebeurde tot u gehoord heeft wat eraan voorafging. Je kunt de zaken beter in de juiste volgorde vertellen.

'Ik liep tot achterin de tuin,' vertelde Yasmin me later in de pub bij een uitstekende biefstuk en nierpudding en een fles redelijke Beaune, 'ik liep tot achterin de tuin en zag die hut. Ik liep er snel naartoe. Ik verwachtte ieder moment mevrouw Shaws stem achter me te horen roepen: "Halt!" Maar niemand zag me. Ik opende de deur van de hut en keek naar binnen. Hij was leeg. Er stond een rieten armstoel, een gewone tafel bedekt onder vellen papier en er heerste een Spartaanse atmosfeer.

Maar geen Shaw. Dat is dan dat, dacht ik. Wegwezen. Terug naar Oswald. Totaal mislukt. Ik gooide de deur dicht.

"Wie is daar?" riep een stem van achter de hut. Het was een mannenstem, maar heel hoog en bijna piepend. Oh, mijn God, dacht ik, het is inderdaad een eunuch.

"Ben jij dat, Charlotte?" vroeg de piepende stem.

Wat voor effect, vroeg ik me af, zou de Kever hebben op iemand die een honderd procent eunuch is?

"Charlotte!" riep hij. "Wat ben je aan het doen?"

Toen kwam er een lang benig schepsel met een enorme baard de hoek van de hut om met in zijn hand een tuinschaar. "Wie bent *u*, als ik u vragen mag?" zei hij. "Dit is privé-terrein."

"Ik ben op zoek naar een openbaar toilet," zei ik.

"Wat voert u in uw schild, jongedame?" vroeg hij en richtte de tuinschaar op me alsof het een pistool was. "U bent mijn hut binnengedrongen. Wat heeft u gestolen?"

"Ik heb helemaal niets gestolen," zei ik. "Als u het precies wilt weten, ik ben gekomen om u een geschenk te brengen."

"Hm, een geschenk?" zei hij iets vriendelijker.

Ik haalde die mooie tros druiven uit de zak en hield die bij de steel vast.

"En wat heb ik dan wel gedaan om zo'n vrijgevigheid te verdienen?" vroeg hij.

"U heeft mij een geweldige hoeveelheid genot bezorgd in het theater," zei ik. "Daarom dacht ik dat het wel leuk zou zijn u er iets voor terug te geven. Meer zit er niet achter. Hier, proef maar eens." Ik plukte de onderste druif af en bood hem die aan. "Ze zijn echt verschrikkelijk lekker."

Hij deed een stap naar voren, nam de druif aan en duwde hem door zijn gezichtsbegroeiing heen in zijn mond.

"Uitstekend," zei hij kauwend. "Een Muscatel." Hij staarde me vanonder zijn uitstekende wenkbrauwen aan. "U had geluk dat ik niet aan het werk was, jongedame, want ik had u er zonder pardon uitgegooid, druiven of geen druiven. Ik was toevallig de rozen aan het snoeien."

"Mijn verontschuldigingen dat ik zo maar kwam binnenvallen," zei ik. "Wilt u mij vergeven?"

"Ik zal u vergeven als ik ervan overtuigd ben dat uw motieven zuiver zijn," zei hij.

"Zo zuiver als de Maagd Maria," zei ik.

"Dat betwijfel ik," zei hij. "Een vrouw bezoekt een man nooit, tenzij ze een bepaald voordeel zoekt. Dat heb ik in mijn toneelstukken herhaaldelijk laten zien. De vrouw, jongedame, is een roofdier. Ze berooft mannen."

"Wat een ontzettend stomme bewering," zei ik tegen hem. "De *man* is de jager."

"Ik heb mijn hele leven op geen vrouw gejaagd," zei hij. "Vrouwen jagen op mij. En ik vlucht als een vos met een meute jachthonden op zijn hielen. Hebzuchtige schepsels," voegde hij eraan toe, terwijl hij een pit van de druif uitspuwde. "Hebzuchtige, roofzuchtige, allesverslindende beesten."

"Ach, kom nou," zei ik. "Iedereen jaagt zo nu en dan een beetje. Vrouwen jagen op mannen om te trouwen en wat is daar verkeerd aan? Maar mannen jagen op vrouwen om met ze naar bed te gaan. Waar zal ik deze druiven neerleggen?"

"We zullen ze in de hut leggen," zei hij en hij nam ze van me over. Hij ging zijn hut binnen en ik liep hem achterna. Ik bad dat die negen minuten snel om zouden gaan. Hij ging in zijn rieten stoel zitten en keek me vanonder zijn borstelige wenkbrauwen aan. Ik ging zelf gauw op de enige andere stoel zitten.

"U bent een pittige jongedame," zei hij. "Ik hou wel van pit."

"En u zegt veel onzin over vrouwen," zei ik. "Ik geloof dat u helemaal niets van vrouwen afweet. Bent u ooit hartstochtelijk verliefd geweest?"

"Een typische vraag voor een vrouw," zei hij. "Er bestaat voor mij maar één soort hartstocht. Intellect is hartstocht. De activiteit van het intellect is de vurigste hartstocht die ik kan ervaren."

"En lichamelijke hartstocht dan?" vroeg ik. "Telt die niet meer mee?"

"Nee, mevrouw, die telt niet mee. Descartes haalde heel wat meer hartstocht en genot uit zijn leven dan Casanova."

"En Romeo en Julia dan?"

"Kalverliefde," zei hij. "Oppervlakkige onzin."

"Wilt u zeggen dat uw *Caesar and Cleopatra* een beter toneelstuk is dan *Romeo and Juliet*?"

"Zonder enige twijfel," zei hij.

"Nou, u durft, mr. Shaw."

"U ook, jongedame." Hij pakte een vel papier van tafel op. "Luister hier eens naar," zei hij en hij begon hardop met die piepende stem van hem voor te lezen: "... het lichaam wordt tenslotte altijd vervelend. Niets blijft mooi en interessant, behalve gedachte, want gedachte is leven..."

"Natuurlijk is het *tenslotte* vervelend," zei ik. "Dat is een nog al voor de hand liggende opmerking. Maar op mijn leeftijd is het niet vervelend. Het is een sappige vrucht. Hoe heet het toneelstuk?"

"Het gaat over Methusalem," zei hij. "En nu moet ik u vragen me met rust te laten. U bent kittig en knap, maar dat geeft u nog niet het recht beslag op mijn tijd te leggen. Mijn dank voor de druiven."

Ik keek snel op mijn horloge. Nog een minuut. Ik moest blijven praten. "Dan ga ik maar," zei ik, "maar ik zou het zeer op prijs stellen in ruil voor mijn druiven een handtekening van u op een van uw beroemde briefkaarten te ontvangen."

Hij pakte een briefkaart en tekende hem. "En nu wegwezen," zei hij. "U heeft genoeg tijd van me verspild."

"Ik ga al," zei ik wat aarzelend ronddraaiend om de seconden te proberen te rekken. De negen minuten waren nu om. Oh, Kever, lieve Kever, goeie beste Kever, waar blijf je nou? Waarom heb je me verlaten?'

'Dat was op het kantje,' zei ik.

'Ik was wanhopig, Oswald. Het was nog niet eerder gebeurd. "Mr. Shaw," zei ik, talmend bij de deur op zoek naar iets om de tijd te doden, "ik heb mijn lieve oude moeder, voor wie u Onze-lieve-heer bent, met de hand op mijn hart beloofd u een vraag te stellen..."

"Mevrouw, u bent een plaag!" blafte hij.

"Dat weet ik, ik weet het, ik weet het. Maar beantwoordt u hem alstublieft, voor haar. Hier is de vraag. Is het echt waar dat u alle kunstenaars die kunstwerken om alleen zuiver esthetische redenen scheppen, afwijst?"

"Inderdaad."

"Wilt u zeggen dat zuivere schoonheid niet voldoende is?"

"Zo is dat," zei hij. "Kunst moet altijd educatief zijn, een maatschappelijk doel nastreven."

"Streefde Beethoven een maatschappelijk doel na, of Van Gogh?"

"Eruit!" brulde hij. "Ik ben niet van plan met u in discussie te treden..." Hij stopte midden in zijn zin. Want op dat moment, Oswald, de hemel zij dank, sloeg de Kever toe.'

'Hoera. Sloeg hij hard toe?'

'Het was een driedubbele dosis, weet je nog.'

'Dat weet ik. Wat gebeurde er dan?'

'Ik geloof niet dat het veilig is driedubbele doses te geven, Oswald. Ik ga het niet nog eens doen.'

'Het heeft hem zeker een beetje geschokt, hè?'

'Het eerste stadium was desastreus,' zei Yasmin. 'Het was alsof hij op een elektrische stoel zat en iemand de schakelaar had omgegooid en hem een miljoen volt liet voelen.'

'Zo erg?'

'Moet je horen, zijn hele lichaam rees uit zijn stoel omhoog en zo bleef het midden in de lucht hangen, stijf, bevend, met uitpuilende ogen en verwrongen gezicht.'

'Gossie.'

'Ik schrok me wild.'

'Dat snap ik.'

'Wat moeten we nu doen, dacht ik. Kunstmatige ademhaling, zuurstof, wat?'

'Je overdrijft toch niet, Yasmin?'

'Jezus, nee. Hij was helemaal verkrampt. Verlamd. Geradbraakt. Hij kon niet spreken.'

'Was hij bij bewustzijn?'

'Wie weet?'

'Dacht je dat hij het loodje zou leggen?'

'Naar mijn gevoel was het fifty-fifty.'

'Dacht je dat echt?'

'Je hoefde alleen maar naar hem te kijken.'

'Jezus Christus, Yasmin.'

'Ik stond daar bij de deur en ik herinner me dat ik dacht, nou, wat er ook gebeurt, deze oude bok heeft zijn laatste toneelstuk geschreven. "Hé, hallo, meneer Shaw," zei ik, "word eens wakker." '

'Kon hij je verstaan?'

'Ik betwijfel het. En door zijn snorharen kon ik wit spul, een soort schuim, op zijn lippen zien komen.'

'Hoe lang duurde dat allemaal?'

'Een paar minuten. En als klap op de vuurpijl begon ik me zorgen te maken over zijn hart.'

'Waarom zijn hart, in godsnaam?'

'Zijn gezicht begon paars aan te lopen. Ik kon zijn huid paars zien worden.'

'Zuurstofgebrek?'

'Zoiets,' zei Yasmin. 'Zijn deze biefstuk en nierpudding niet heerlijk?'

'Uitstekend.'

'En toen keerde hij plotseling weer terug op aarde. Hij knipperde met zijn ogen, staarde me even aan, gaf een soort Indiaanse strijdkreet, sprong uit zijn stoel op en begon zijn kleren uit te rukken. "De Ieren komen!" krijste hij. "Omgord uw lendenen, vrouwe! Omgord uw lendenen en bereid u voor op de strijd!" '

'Dus niet wat je noemt een eunuch.'

'Zo zag hij er niet uit.'

'Hoe slaagde je erin hem dat rubberen geval aan te doen?'

'Als ze agressief worden is er maar een manier om dat te doen,' zei Yasmin. 'Ik greep hem bij zijn snikkel, bleef hem vasthouden of mijn leven ervan afhing en draaide er een keer of twee aan om hem tot stoppen te brengen.'

'Au.'

'Heel effectief.'

'Dat neem ik aan.'

'Op die manier kun je overal met ze naartoe.'

'Vast en zeker.'

'Het is alsof je ze een duimschroef aandraait.'

Ik nam een slokje Beaune en proefde die zorgvuldig. Hij kwam van het huis Louis Latour en was werkelijk heel redelijk. Het is geluk hebben als je zo'n wijn in een dorpskroeg vindt.

'En wat gebeurde er toen?' vroeg ik.

'Chaos. Een houten vloer. Vreselijke schrammen. De hele reutemeteut. Maar ik zal je één ding vertellen dat je wel zal interesseren, Oswald. Hij wist niet helemaal wat hij moest doen. Ik moest het voordoen.'

'Dus hij was inderdaad maagd?'

'Moet haast wel. Maar hij leerde verdomd snel. Ik heb nog nooit een man van drieënzestig met zoveel energie gezien.'

'Dat komt door dat vegetarische dieet.'

'Misschien,' zei Yasmin, en spieste een stuk nierpudding aan haar vork en stopte het in haar mond. 'Maar je moet niet vergeten dat hij een splinternieuwe motor had.'

'Een wat?'

'Een nieuwe motor. De meeste mannen van die leeftijd zijn tegen die tijd min of meer versleten. Hun machinerie bedoel ik. Die heeft zoveel kilometers afgelegd dat hij begint te rammelen.'

'Bedoel je dat het feit dat hij maagd was...'

'Inderdaad, Oswald. De motor was splinternieuw, volledig ongebruikt. En daarom zonder enige slijtage.'

'Maar hij zal hem toch een beetje hebben moeten inrijden?'

'Nee,' zei ze. 'Hij liet hem gewoon gaan. Met volle kracht. Gas op de plank. En toen hij de slag te pakken had riep hij uit: "Nou begrijp ik wat Pat Campbell bedoelde." '

'Ik veronderstel dat je aan het eind je trouwe hoedespeld moest gebruiken?'

'Natuurlijk. Maar zal ik je eens iets vertellen, Oswald. Met een driedubbele dosis zijn ze zo ver heen dat ze niets meer voelen. Ik had net zo goed zijn gat met een veer kunnen kietelen.'

'Hoeveel steken?'

'Tot ik een lamme arm kreeg.'

'En toen?'

'Er zijn andere manieren,' zei Yasmin geheimzinnig.

'Alweer au,' zei ik. Ik herinner me wat Yasmin eens in het lab met A. R. Woresley had gedaan om aan hem te ontsnappen.

'Deed het hem opspringen?'

'Ongeveer een meter hoog,' zei ze. 'En dat gaf me net genoeg tijd om de buit te grijpen en naar de deur te rennen.'

'Het is maar goed dat je je kleren had aangehouden.'

'Ik moest wel,' zei ze. 'Iedere keer dat we ze een extra dosis geven is het rennen geblazen om weg te komen.'

Dat was dus Yasmins verhaal. Ik zal het van hier af zelf overnemen en teruggaan naar het moment dat ik in de invallende duisternis voor Shaw's Corner rustig in mijn auto zat terwijl dit allemaal gebeurde. Plotseling kwam Yasmin in galop met wapperende haren over het tuinpad aangedraafd en ik deed snel de deur open zodat ze kon instappen. Maar ze stapte niet in. Ze rende naar de voorkant van de auto en greep de slinger. Er waren in die tijd nog geen startmotors, weet u nog wel. 'Zet hem aan, Oswald!' riep ze. 'Zet hem aan! Hij zit me achterna!' Ik zette het contact aan. Yasmin draaide aan de slinger. De motor startte met de eerste slag. Yasmin vloog terug en sprong in de stoel naast me, terwijl ze schreeuwde: 'Schiet op, man! Volle kracht vooruit.' Maar voor ik de versnellingshendel in de goede stand had hoorde ik een schreeuw in de tuin en in het halfduister zag ik die grote, spookachtige verschijning met z'n witte baard spiernaakt op ons afrennen terwijl hij schreeuwde: 'Kom terug, slet! Met jou ben ik nog niet klaar!'

'Rijden!' riep Yasmin. Ik kreeg de auto in de goede versnelling en liet de koppeling opkomen en weg waren we.

Voor het huis van Shaw stond een straatlantaarn en toen ik achterom keek zag ik Shaw onder het gaslicht op het trottoir rondspringen, een en al bleek vel op de sokken aan zijn voeten na, met zowel boven als onder een baard, en uit zijn onderste baard stak zijn gigantische roze lid als een geweer met afgezaagde loop naar voren. Het was een aanblik die ik niet gauw zal vergeten, deze invloedrijke en zelfingenomen toneelschrijver die altijd had afgegeven op de geneugten des vlezes en nu zelf aan het zwaard van de wellust gespiest was en schreeuwde dat Yasmin terug moest komen. *Cantharis vescatoria sudanii*, bedacht ik, had zelfs de Messias voor paal gezet.

22

Het liep nu tegen Kerstmis en Yasmin zei dat ze aan een vakantie toe was. Ik wilde doorgaan. 'Kom op,' zei ik, 'laten we eerst nog wat staatsiebezoeken afleggen, alleen koningen. We zullen alle resterende monarchen van Europa te grazen nemen. En daarna zullen we het er allebei goed van nemen.'

Kofferen met koningen, zoals Yasmin het noemde, was een onweerstaanbaar vooruitzicht voor haar en ze stemde ermee in haar vakantie uit te stellen en Kerstmis in het winterse Europa door te brengen. Samen werkten we een praktische reisroute uit die ons achtereenvolgens naar België, Italië, Joegoslavië, Griekenland, Bulgarije, Roemenië, Denemarken, Zweden en Noorwegen zou brengen. Ik liep alle negen van de zorgvuldig nagemaakte brieven van George V nog eens na. A.R.Woresley vulde mijn draagbare vloeibare-stikstofcontainer en gaf me een nieuwe voorraad rietjes en zo gingen we op weg in mijn trouwe Citroën, richting Dover en de boot over het kanaal met als eerste halte het Koninklijk Paleis te Brussel.

Het effect dat de brief van de koning van Engeland op de eerste acht vorsten op ons lijstje had, was vrijwel identiek. Ze vlogen erin. Ze konden niet wachten om koning George te plezieren en ze konden niet wachten om een glimp van zijn geheime maîtresse op te vangen. Het was voor hen een pikante affaire. Iedere keer werd Yasmin binnen een paar uur nadat ik de brief had afgegeven, op het paleis uitgenodigd. We hadden het ene succes na het andere. Soms moest de hoedespeld gebruikt worden, soms niet. Er speelden zich wat grappige toneeltjes af en er waren wat penibele momenten, maar uiteindelijk trok Yasmin altijd aan het langste eind. Ze kreeg zelfs de zesenzeventigjarige koning Peter van Joegoslavië te pakken, hoewel die aan het einde van zijn stokje ging en onze Yasmin hem weer moest bijbrengen door een po met koud water over zijn hoofd te storten. Tegen de tijd dat we, begin april, in Christiania (nu

Oslo) aankwamen, hadden we acht koningen afgewerkt en bleef alleen Haakon van Noorwegen nog over. Hij was achtenveertig jaar oud.

In Christiania namen we kamers in het Grand Hotel aan de Carl Johan Gatten en van het balkon van mijn kamer kon ik die prachtige straat helemaal uitkijken tot aan het Koninklijk Paleis op de heuvel. Ik gaf mijn brief op een dinsdagmorgen om tien uur af. Tegen de lunch had Yasmin een antwoord in het handschrift van de koning zelf. Ze werd uitgenodigd die middag om half drie op het paleis te komen.

'Dit wordt mijn allerlaatste koning,' zei ze. 'Ik zal het missen paleizen binnen te wippen en met vorsten te worstelen.'

'Wat is je mening over ze,' vroeg ik, 'nu het bijna voorbij is? Hoe voldoen ze?'

'Dat wisselt nogal,' zei ze. 'Die Boris van Bulgarije was verschrikkelijk als je nagaat dat hij me in kippegaas rolde.'

'Bulgaren zijn niet gemakkelijk.'

'Ferdinand van Roemenië was anders ook aardig maf.'

'Dat is die kerel die aan alle muren lachspiegels had hangen?'

'Ja, die. Laten we nou maar eens uitvissen wat deze Noorse gabber voor weerzinwekkende gewoonten heeft.'

'Ik heb gehoord dat hij een heel nette kerel is.'

'Niemand is netjes als hij de Kever heeft gekregen, Oswald.'

'Ik durf erom te wedden dat hij zenuwachtig is,' zei ik.

'Waarom?'

'Dat heb ik je al eens verteld. Zijn vrouw, koningin Maud, is de zuster van koning George V. Onze vervalste brief is dus zogenaamd door zijn zwager aan Haakon geschreven. Dat is een beetje te dicht bij huis.'

'Pikant,' zei Yasmin. 'Daar hou ik wel van.' En ze huppelde naar het paleis met haar doosje bonbons en haar hoedespeld en alle andere benodigdheden. Ik bleef achter en stelde mijn instrumenten op zodat die bij haar terugkeer klaar zouden staan.

In nog geen uur was ze terug. Als een orkaan stormde ze mijn kamer in.

'Ik heb het verknald!' riep ze. 'Oh, Oswald, ik heb iets ontzettend vreselijk afschuwelijks gedaan! Ik heb het helemaal verknald!'

'Wat is er gebeurd?' zei ik enigszins trillend.

'Geef me iets te drinken,' zei ze. 'Cognac.'

Ik gaf haar een flink glas. 'Vertel op,' zei ik. 'Laat maar horen. Recht voor zijn raap.'

Yasmin nam een fikse slok cognac, daarna leunde ze achterover en sloot haar ogen en zei: 'Ah, daar was ik aan toe.'

'In godsnaam,' riep ik, 'vertel me wat er gebeurd is!'

Ze dronk de rest van de cognac op en vroeg er nog een. Ik schonk hem snel in.

'Een mooie grote zaal,' zei ze. 'Een mooie grote koning. Zwarte snor, hoffelijk, vriendelijk en knap. Nam de bonbon zonder problemen aan en ik begon de minuten af te tellen. Hij sprak vrijwel perfect Engels. "Ik ben niet zo erg blij met deze affaire, lady Victoria," zei hij terwijl hij met een vinger op koning Georges brief tikte. "Zoiets is helemaal niets voor mijn zwager. Koning George is de meest rechtschapen en eerbare man die ik ooit ontmoet heb."

"Hij is ook maar een mens, Majesteit."

"Hij is een volmaakte echtgenoot," zei hij.

"Het probleem is dat hij getrouwd is," zei ik.

"Natuurlijk is hij getrouwd. Wat wilt u insinueren?"

"Getrouwde mannen zijn slechte echtgenoten, Majesteit."

"U slaat nonsens uit, mevrouw!" beet hij me toe.'

'Waarom heb je toen niet meteen je mond gehouden, Yasmin,' riep ik uit.

'Oh, dat kon ik niet, Oswald. Als ik eenmaal zo begonnen ben schijn ik niet meer te kunnen ophouden. Weet je wat ik daarna zei?'

'Ik kan nauwelijks wachten,' zei ik. Ik begon te transpireren.

'Ik zei: "Moet u eens horen, Majesteit, ik bedoel dat als een sterke, knappe kerel als George jarenlang iedere avond griesmeelpudding voorgeschoteld heeft gekregen, het niet meer dan normaal is dat hij trek krijgt in een bordje kaviaar." '

'Oh, mijn God.'

'Het was ontzettend stom om zoiets te zeggen, dat weet ik.'

'Wat antwoordde hij?'

'Zijn gezicht werd groen. Ik dacht dat hij me zou gaan slaan, maar hij stond alleen maar te sputteren en te knetteren als een stuk vuurwerk, je weet wel, van die klappers die eerst een hele tijd knetteren voor de grote explosie komt.'

'En kwam die?'

'Nog niet. Hij bleef heel waardig. Hij zei: "Ik zou u dankbaar zijn als u de koningin van Engeland niet een griesmeelpudding noemde."

"Het spijt me, Majesteit," zei ik. "Zo bedoelde ik het niet." Ik stond nog steeds midden in de zaal omdat hij me niet gevraagd had te gaan zitten. Verrek maar, dacht ik, en ik koos een grote groene sofa uit en maakte het mezelf gemakkelijk, klaar voor als de Kever toesloeg.

"Ik kan maar niet begrijpen dat George zich zo laat derailleren," zei hij.

"Ach, kom nou, Majesteit," zei ik. "Hij volgt alleen maar de voetsporen van zijn vader."

"Mevrouw, wat wilt u daarmee zeggen?"

"Die ouwe Edward VII," zei ik. "Verdraaid nog aan toe, die doopte de koninklijke kaars overal in het land."

"Hoe waagt u het!" riep hij, nu pas ontploffend. "Het zijn allemaal leugens."

"En Lily Langtry dan?"

"Koning Edward was de vader van mijn vrouw," zei hij met ijzige stem. "Ik laat hem onder mijn dak niet beledigen." '

'Waarom ben je in godsnaam zo doorgegaan, Yasmin?' riep ik. 'Nou krijg je een keer een echt aardige koning en het enige dat je doet is hem tot in zijn ziel beledigen.'

'Het was een schat van een man.'

'Maar waarom heb je het dan gedaan?'

'Ik was door de duivel bezeten, Oswald. En ik veronderstel dat ik ervan genoot.'

'Zo kun je gewoon niet tegen koningen spreken.'

'Oh, dat kan ik best,' zei Yasmin. 'Ik heb namelijk ontdekt, Oswald, dat het helemaal niet geeft wat je in het begin tegen ze zegt of hoe kwaad je ze maakt, want die goede oude Kever biedt uiteindelijk altijd weer de reddende hand. Het draait er altijd op uit dat zij een figuur slaan.'

'Maar je zei dat je het verpest had.'

'Laat me maar verder vertellen en dan hoor je het vanzelf

wel. Die lange koning bleef de zaal maar op en neer lopen en in zichzelf mompelen en ik bleef natuurlijk de hele tijd op mijn horloge kijken. Om de een of andere reden leken die negen minuten heel langzaam te verlopen. Toen zei de koning: "Hoe kon u dit uw eigen koningin aandoen? Hoe kon u zichzelf ertoe verlagen haar geliefde echtgenoot te verleiden? Queen Mary is de reinste vrouw in het land."

"Denkt u dat echt?" vroeg ik.

"Ik weet het," zei hij. "Ze is zo zuiver als pasgevallen sneeuw."

"Nou moet u even wachten, Majesteit," zei ik. "Heeft u al die ondeugende geruchten dan niet gehoord?"

Toen ik dat zei, Oswald, begon hij rond te springen alsof hij door een schorpioen gestoken was.'

'Jezus, Yasmin, je durft wel!'

'Het was leuk,' zei ze. 'Ik wou alleen maar een grapje maken.'

'Wat een grap.'

' "Geruchten!" schreeuwde de koning. "Wat voor geruchten?"

"Heel ondeugende geruchten," zei ik.

"Hoe durft u," brulde hij. "Hoe durft u hier binnen te komen en zo over de koningin van Engeland te spreken. U bent een slet en een leugenares, mevrouw!"

"Misschien ben ik wel een slet," zei ik, "maar ik ben geen leugenares. U moet namelijk weten, Majesteit, dat een opperstalmeester van Buckingham Palace, een kolonel van de Grenadiers, een aardige knappe kerel ook nog met zijn grote zwarte borstelige snor, de koningin iedere morgen in de gymnastiekzaal ontmoet en haar lessen in lichamelijke oefening geeft."

"En waarom niet?" beet de koning me toe. "Wat is er verkeerd aan lichamelijke oefening? Dat doe ik zelf ook."

Ik keek op mijn horloge. De negen minuten waren net voorbij. Deze statige trotse koning kon nu ieder moment in een oude geilaard veranderen. "Majesteit," zei ik, "George en ik hebben meer dan eens door het raam aan de achterkant van de gymzaal gegluurd en gezien dat..." en toen stopte ik. Ik was mijn stem kwijt, Oswald. Ik kon gewoon niet verder.'

'Wat is er dan gebeurd, in hemelsnaam?'

'Ik dacht dat ik een hartaanval kreeg. Ik begon naar adem te snakken. Ik kon niet meer gewoon ademhalen en ik kreeg over mijn hele lichaam een soort kippevel. Ik dacht echt, ik meen het, ik dacht echt dat mijn laatste uur geslagen had.'

'Wat was het dan, in godsnaam?'

'Dat vroeg de koning ook. Het is echt een keurige man, Oswald. Een halve minuut eerder had ik monsterlijk beledigende dingen over zijn schoonfamilie in Engeland verteld en plotseling was hij heel bezorgd over mijn welzijn. "Wilt u dat ik een dokter voor u roep?" vroeg hij. Ik kon hem niet eens meer antwoorden. Ik rochelde alleen maar tegen hem. En toen begon plotseling dat geweldige tintelend gevoel in mijn voetzolen en het kroop heel snel door mijn benen naar boven. Ik raak verlamd, dacht ik. Ik kan niet spreken. Ik kan niet bewegen. Ik kan nauwelijks denken. Ik kan ieder moment doodgaan. En toen *beng*! Toen begon het!'

'Wat begon?'

'*De Kever* natuurlijk.'

'Hé, wacht eens even...'

'Ik had verdomme de verkeerde bonbon opgegeten, Oswald! Ik had ze verwisseld! Ik had hem de gewone gegeven en zelf de Kever opgegeten!'

'Jezus Christus, Yasmin!'

'Ik weet het. Maar tegen die tijd vermoedde ik wat er gebeurd was en mijn eerste gedachte was dat ik beter als de bliksem uit het paleis kon wegvluchten voor ik mezelf nog meer voor schut zette dan ik al gedaan had.'

'En ben je toen weggerend?'

'Nou, dat was iets gemakkelijker gezegd dan gedaan. Voor de eerste keer in mijn leven ontdekte ik hoe het voelde om de Kever te krijgen.'

'Sterk spul.'

'Verschrikkelijk. Het bevriest je hersens. Je kunt niet meer normaal denken. Je hebt alleen nog maar dat sterke kloppende sexy gevoel dat zich over je uitstort. Je kunt alleen nog maar aan seks denken. Het was tenminste het enige waar ik aan kon denken, en ik ben bang, Oswald... ik kon me niet beheersen... en ik... nou ja, ik sprong van de sofa af en dook naar de broek van de koning...'

'Oh, mijn God.'

'En dat is nog niet alles,' zei Yasmin, terwijl ze nog een slok-je cognac nam.

'Vertel het me niet. Ik kan het niet meer hebben.'

'Oké, dan niet.'

'Ja,' zei ik. 'Ga verder.'

'Ik leek wel een krankzinnige. Ik greep hem waar ik maar kon. Ik bracht hem uit zijn evenwicht en duwde hem op de sofa. Maar het is een atletische knaap, die koning. Hij was heel snel. Hij was in een flits weer overeind. Hij ging in dekking achter zijn bureau. Ik klom over het bureau heen. Hij riep de hele tijd: "Hou op! Wat is er met u aan de hand? Ga uit mijn buurt!" En toen begon hij echt te schreeuwen, keihard te schreeuwen, be-doel ik. "Help," schreeuwde hij. "Laat iemand die vrouw hier weghalen!" En toen, mijn beste Oswald, ging de deur open en kwam de koningin zelf, kleine koningin Maud, in volle glorie de kamer binnenzeilen met een borduurwerkje in haar hand.'

'Dat was te verwachten.'

'Ik weet het.'

'Waar was je toen ze binnenkwam?'

'Ik was bezig over dat grote Chippendale bureau te klimmen om bij hem te komen. De stoelen vlogen alle kanten uit en toen kwam zij, dat kleine leuke vrouwtje, binnen...'

'Wat zei ze?'

'Ze zei: "Wat voer je nou weer uit, Haakon?"

"Gooi haar eruit!" schreeuwde de koning.

"Ik wil hem," riep ik. "En ik zal hem krijgen ook!"

"Haakon," zei ze. "Hou hier onmiddellijk mee op!"

"Ik doe niets, zij doet het!" riep hij terwijl hij voor zijn leven door de zaal rende. Maar nu had ik hem in een hoek gedreven en ik wou me net goed en wel op hem werpen toen ik door twee lijfwachten van achteren werd vastgegrepen. Het waren solda-ten. Prachtige Noorse jongens om te zien.

"Breng haar weg," bracht de koning uit.

"Waar naartoe, sire?"

"Als je haar maar snel hiervandaan haalt! Gooi haar maar op straat!"

En zo word ik het paleis uitgesleurd en ik herinner me alleen nog maar dat ik vreselijke smerige dingen bleef zeggen tegen die jonge soldaten en allerlei oneerbare voorstellen deed en dat zij gilden van het lachen...'

'En toen hebben ze je eruit gegooid?'

'Op straat,' zei Yasmin. 'Buiten de paleispoort.'

'Je mag van geluk spreken dat het niet de koning van Bulgarije of van een andere dwarsstraat was,' zei ik. 'Die zou je in een kerker gegooid hebben.'

'Ik weet het.'

'Dus ze gooiden je op straat voor het paleis.'

'Ja. Ik was helemaal versuft. Ik zat op een bankje onder een paar bomen en probeerde weer wat tot mezelf te komen. Ik had namelijk, Oswald, een groot voordeel boven al mijn slachtoffers. Ik *wist* wat er met me aan de hand was. Ik *wist* dat het de Kever was die dat met me deed. Het moet gewoon afschuwelijk zijn je te voelen zoals ik me voelde zonder dat je weet hoe het komt. Ik denk dat ik me dood zou schrikken. Nou was ik in staat er tegenin te gaan. Ik herinner me dat ik daar zat en dat ik tegen mezelf zei: Yasmin, ouwe dibbes, wat jij nodig hebt om weer helemaal tot jezelf te komen zijn een paar goede steken in je achterste met de hoedespeld. Ik moest ervan giechelen. Daarna begon, heel langzaam, dat vreselijke sexy gevoel weg te ebben en kreeg ik mezelf weer wat in bedwang en kon ik opstaan om over straat naar het hotel te lopen en daar ben ik dan. Het spijt me dat ik het verknald heb, Oswald, echt waar. Het is de allereerste keer.'

'We kunnen maar beter onze biezen pakken,' zei ik. 'Ik denk niet dat die mensen ons iets akeligs zullen aandoen, maar het zit er wel in dat de koning een paar vragen zou willen stellen.'

'Dat weet ik wel zeker.'

'Ik denk dat hij wel zal vermoeden dat mijn brief vervalst was,' zei ik. 'Ik durf erom te wedden dat hij het op ditzelfde moment bij George V nagaat.'

'Daar durf ik ook om te wedden,' zei Yasmin.

'Schiet dan maar op en pak je koffers,' zei ik. 'We zullen hier onmiddellijk wegglippen en over de grens naar Zweden rijden. We moeten er vandoor.'

23

We kwamen omstreeks half april via Zweden en Denemarken weer thuis en hadden het sperma van acht koningen bij ons – vijftig rietjes van zeven van hen en twintig van de oude Peter van Joegoslavië. Het was jammer van Noorwegen. Het was een smet op onze staat van dienst, maar ik had niet het gevoel dat het op de lange duur veel verschil zou maken.

'Nou wil ik met vakantie,' zei Yasmin. 'Een grote. Zijn we trouwens toch niet zo langzamerhand klaar?'

'Amerika komt nog aan de beurt,' zei ik.

'Daar zitten er niet zoveel.'

'Nee, maar we moeten ze wel krijgen. We zullen in stijl oversteken, met de *Mauretania*.'

'Ik wil eerst met vakantie,' zei Yasmin. 'Dat heb je beloofd. Ik ga nergens meer naartoe als ik niet eerst lekker lang heb mogen uitrusten.'

'Hoe lang?'

'Een maand.'

Nadat we in Harwich van de Deense boot van boord waren gegaan, reden we rechtstreeks naar Cambridge en dronken een slokje in de woonkamer van 'Dunroamin'. A.R.Woresley kwam handenwrijvend binnen.

'Gefeliciteerd,' zei hij. 'Jullie hebben goed werk geleverd met die koningen.'

'Yasmin wil een maand vakantie,' zei ik. 'Maar ik vind zelf dat we zouden moeten doorstomen om eerst Amerika te doen.'

A.R.Woresley keek, door de rook van zijn afschuwelijke pijp, Yasmin aan en zei: 'Ik ben het met Cornelius eens. Eerst het werk afmaken en daarna met vakantie.'

'Nee,' zei Yasmin.

'Waarom niet?' vroeg Woresley.

'Omdat ik het niet wil, daarom.'

'Nou, ik neem aan dat je dat zelf moet beslissen,' zei Woresley.

'Daar kun je vergif op innemen,' zei Yasmin.

'Vind je het dan niet leuk?' vroeg ik.

'De lol gaat er een beetje af,' zei ze. 'In het begin was het kinderspel. Een geweldige grap. Maar het lijkt of ik er plotseling genoeg van ga krijgen.'

'Dat moet je niet zeggen.'

'Ik heb het gezegd.'

'Jullie schijnen allebei te vergeten,' zei ze, 'dat iedere keer dat we het sperma van zo'n verdomd genie willen hebben, *ik* degene ben die erop af moet gaan en het gevecht moet leveren. Ik ben degene die het op zijn nek krijgt.'

'Niet op je nek,' zei ik.

'Doe niet zo grappig, Oswald.' Ze zat er sip bij. A.R.Woresley zei niets.

'Als je nu een maand vakantie krijgt,' zei ik, 'ga je dan onmiddellijk daarna met me naar Amerika?'

'Ja, dat is goed.'

'Je zal lol hebben met Rudolf Valentino.'

'Ik betwijfel het,' zei ze. 'Ik denk dat mijn woelige dagen voorbij zijn.'

'Nooit!' riep ik uit. 'Je zou net zo goed dood kunnen zijn!'

'Woelen is ook niet alles.'

'Jezus, Yasmin. Je praat net als Bernard Shaw.'

'Misschien ga ik wel in het klooster.'

'Maar ga je dan eerst met me naar Amerika?'

'Ik heb je al gezegd dat ik dat zou doen,' zei ze.

A.R.Woresley nam zijn pijp uit zijn mond en zei: 'We hebben hier een heel bijzondere collectie, Cornelius, werkelijk heel bijzonder. Wanneer gaan we verkopen?'

'We moeten het niet overhaasten,' zei ik. 'Naar mijn gevoel moeten we niet iemands sperma te koop aanbieden voor hij dood is.'

'Waarom denk je dat?'

'Grote mannen zijn dood interessanter dan levend. Als ze dood zijn worden het legenden.'

'Misschien heb je wel gelijk,' zei Woresley.

'Er staan genoeg ouwetjes op de lijst,' zei ik. 'De meesten zullen het niet erg lang meer maken. Ik durf te wedden dat vijftig procent van het hele stel in vijf of tien jaar dood zal zijn.'

'Wie gaat er verkopen als het daar de tijd voor is?' vroeg Woresley.

'Ik,' zei ik.

'Denk je dat je dat aankan?'

'Moet je horen,' zei ik. 'Toen ik nog maar net zeventien was had ik niet de minste moeite rode pilletjes te verkopen aan de Franse minister van buitenlandse zaken, aan een dozijn ambassadeurs en aan zowat iedereen die wat betekende in Parijs. En ik heb zojuist met veel succes lady Victoria Nottingham aan alle gekroonde hoofden van Europa op een na verkocht.'

'Dat heb ik gedaan,' zei Yasmin. 'Niet jij.'

'Oh nee, dat heb jij niet gedaan,' zei ik. 'De brief van koning George heeft je verkocht en dat was mijn idee. Je moet dus niet serieus denken dat ik problemen zal hebben om het zaad van genieën aan een stel rijke vrouwen te verkopen, toch?'

'Misschien niet,' zei Woresley.

'Overigens,' zei ik, 'als ik degene ben die alles moet verkopen, vind ik dat ik ook recht heb op een groter deel van de winst.'

'Hé!' riep Yasmin. 'Wil je daar wel eens mee ophouden, Oswald!'

'De afspraak was dat we allemaal evenveel zouden krijgen,' zei Woresley met een vijandige blik in zijn ogen.

'Rustig aan,' zei ik. 'Ik maak alleen maar een grapje.'

'Dat is je geraden ook,' zei Yasmin.

'Eigenlijk vind ik dat Arthur het grootste deel zou moeten krijgen want tenslotte is hij degene die het hele procédé heeft uitgevonden,' zei ik.

'Nou, ik moet zeggen dat ik dat heel royaal van je vind, Cornelius,' zei Woresley glunderend.

'Veertig procent voor de uitvinder en Yasmin en ik elk dertig procent,' zei ik. 'Ben je het daarmee eens, Yasmin?'

'Daar ben ik niet zo van overtuigd,' zei ze. 'Ik heb hier verdomd hard voor moeten werken. Ik wil mijn derde deel.'

Wat ze geen van beiden wisten, was dat ik al lang tevoren had besloten dat ik zelf degene was die uiteindelijk het leeuwendeel in de wacht zou slepen. Yasmin zou tenslotte nooit zoveel nodig hebben. Ze hield ervan zich goed te kleden en goed te eten, maar verder dan dat ging ze niet. En wat Woresley betreft, ik betwijfelde of hij wist wat hij zou moeten doen met een grote som geld, zelfs al had hij die. Pijptabak was zo'n beetje de enige luxe die hij zichzelf toestond. Maar ik was anders. De levensstijl die ik nastreefde maakte het absoluut noodzakelijk dat ik een fortuin tot mijn beschikking had. Het was mij onmogelijk genoegen te nemen met een matige champagne of wat voor ongemak dan ook. In mijn ogen was het beste, en daarmee bedoel ik het werkelijk allerbeste, bijna nog niet goed genoeg voor mij.

Ik dacht dat ze als ik ze ieder tien procent gaf en zelf tachtig nam, best tevreden mochten zijn. Ze zouden eerst moord en brand schreeuwen, maar als ze zich gingen realiseren dat ze er niks aan konden veranderen zouden ze zich erin schikken en dankbaar zijn voor kleine aalmoezen. Nu was er natuurlijk maar één manier waarop ik mezelf in de positie kon manoeuvreren waarin ik de andere twee de wet kon voorschrijven. Ik moest het Semenhuis in bezit nemen samen met alle schatten die het bevatte. Die zou ik dan naar een veilige en geheime plaats moeten overbrengen waar ze er geen van beiden de hand op konden leggen. Dat zou niet zo moeilijk zijn. Zodra Yasmin en ik uit Amerika zouden zijn teruggekeerd, zou ik een verhuiswagen huren en naar 'Dunroamin' rijden als daar niemand was en er vandoor gaan met de kostbare kluis.

Geen probleem.

Maar wel een vuil geintje, denken sommigen van u? Een beetje schofterig?

Nonsens, zeg ik. In deze wereld kom je nooit ergens als je je gelegenheden niet grijpt. Liefdadigheid is nog nooit thuis begonnen. Niet bij mij thuis tenminste.

'Wanneer gaan jullie tweeën nu naar Amerika?' vroeg A.R. Woresley ons.

Ik pakte mijn agenda. 'Over precies een maand is het zaterdag vijftien mei,' zei ik. 'Wat denk je daarvan, Yasmin?'

'Vijftien mei,' zei ze, terwijl ze haar eigen agenda uit haar tas haalde. 'Dat lijkt me wel goed. Dan spreken we de vijftiende hier af. Over vier weken.'

'En ik zal een paar hutten boeken op de *Mauretania* voor de eerste gelegenheid daarna.'

'Prima,' zei ze terwijl ze de datum in haar agenda schreef.

'Dan zullen we die schurk van een Henry Ford en Marconi en Rudolf Valentino en al die andere yanks te grazen nemen.'

'Vergeet Alexander Graham Bell niet,' zei Woresley.

'We nemen ze allemaal,' zei ik. 'Na een maand rust zal die goeie meid weer staan te popelen om aan de slag te gaan, let maar op.'

'Ik hoop het,' zei Yasmin. 'Maar ik heb echt rust nodig, eerlijk waar.'

'Waar ga je naartoe?'

'Naar Schotland, bij een oom logeren.'

'Een aardige oom?'

'Heel aardig,' zei ze. 'De broer van mijn vader. Hij vist op zalm.'

'Wanneer ga je weg?'

'Meteen,' zei ze. 'Mijn trein gaat over ongeveer een uur. Breng je me naar het station?'

'Natuurlijk,' zei ik. 'Ik ga zelf naar Londen.'

Ik reed Yasmin naar het station en hielp haar de wachtkamer in met haar koffers. 'Tot over precies een maand,' zei ik, 'op "Dunroamin".'

'Tot dan,' zei ze.

'Prettige vakantie.'

'Van hetzelfde, Oswald.'

Ik gaf haar een afscheidszoen en reed naar Londen. Ik ging rechtstreeks naar mijn huis aan Kensington Square. Ik voelde me uitstekend. Het grote plan was eindelijk goed onderweg. Ik zag al helemaal voor me hoe ik vijf jaar later bij de een of andere maffe rijke dame op bezoek zou zijn en zij tegen me zou zeggen: 'Ik ben zeer op Renoir gesteld, meneer Cornelius. Ik hou zo veel van zijn schilderijen. Hoeveel kost hij?'

'Renoir kost vijfenzeventigduizend, mevrouw.'

'En hoeveel kost een koning?'

'Dat hangt ervan af welke.'

'Die hier. Die knappe donkere. Koning Alfonso van Spanje.'

'Koning Alfonso is veertigduizend, mevrouw.'

'Wilt u zeggen dat hij minder kost dan Renoir?'

'Renoir was een grotere man, mevrouw. Zijn sperma is buitengewoon zeldzaam.'

'Wat gebeurt er als het niet lukt, meneer Cornelius? Ik bedoel, als ik niet zwanger word?'

'Dan krijgt u er een gratis.'

'En wie zou de eigenlijke inseminatie uitvoeren?'

'Een ervaren gynaecoloog, mevrouw. We gaan uiterst voorzichtig te werk.'

'En mijn man zou er nooit achterkomen?'

'Hoe zou hij dat kunnen? Hij zou denken dat het van hemzelf was.'

'Ja, dat is natuurlijk zo, hè.' Ze giechelt.

'Kan niet anders, mevrouw.'

'Het zou toch wel heerlijk zijn een kind van de koning van Spanje te hebben, hè?'

'Heeft u wel eens aan Bulgarije gedacht, mevrouw? Bulgarije is een koopje voor twintigduizend.'

'Ik wil geen Bulgaarse blaag, meneer Cornelius, zelfs al is hij koninklijk.'

'Ik begrijp het, mevrouw.'

'En dan is er natuurlijk Puccini. *La Bohème* is absoluut mijn lievelingsopera. Hoeveel kost Puccini?'

'Giacomo Puccini kost zevenenzestigduizend vijfhonderd, mevrouw. Ik kan hem u sterk aanbevelen. Het kind wordt vrijwel zeker een muzikaal genie.'

'Ik speel zelf ook een beetje piano.'

'Dat zou de kansen van de baby enorm verbeteren.'

'Ja, dat moet natuurlijk wel, hè?'

'Mevrouw, ik kan u in het diepste vertrouwen meedelen dat een zekere dame uit Dallas in Texas drie jaar geleden een kleine Puccini gekregen heeft en dat het kind nu al zijn eerste opera geschreven heeft.'

'U meent het!'

'Onwindend, hè?'

Als ik eenmaal begon te verkopen zou ik veel plezier hebben. Maar nu had ik een hele maand voor me waarin ik niets had te doen dan plezier hebben. Ik besloot in Londen te blijven. Ik zou de bloemetjes eens goed buitenzetten. Dat verdiende ik wel. Ik was bijna de hele winter bezig geweest heel Europa door achter koningen aan te jagen en nu was de tijd gekomen om eens serieus op vrouwen te jagen.

En het werd me de vrouwenjacht wel. Het was een echte or-
gie. Drie van de vier weken had ik een fantastische tijd (zie
deel III). Maar aan het begin van de vierde en laatste week van
mijn vakantie, toen ik tegen de klippen op bezig was en de dames van Londen zo hard porde dat je de botten tot Mayfair kon
horen rammelen, greep er plotseling een afschuwelijk voorval
plaats dat al mijn bezigheden tot een abrupt einde bracht. Het
was verschrikkelijk. Duivels. Zelfs als ik er, zoveel jaren later,
aan denk, doet het me nog veel pijn. Toch vind ik dat ik deze
onverkwikkelijke episode hoor te beschrijven in de hoop dat het
tenminste een aantal sportslieden voor een dergelijke ramp kan
behoeden.

Meestal zit ik niet aan de verkeerde kant in bad met de kra-
nen in mijn rug. Dat doet niemand. Maar op deze bewuste
middag was de andere kant, de gemakkelijke, aflopende kant,
bezet door een brutaal opdondertje dat in het bezit was van hyperactieve vleselijke neigingen. Daarom was ze daar. Ook het
feit dat ze toevallig ook nog een Engelse hertogin was heeft er
iets mee te maken. Als ik een paar jaar ouder was geweest had
ik wel geweten wat ik van een vrouw van hoge komaf kon verwachten en zou ik heel wat minder zorgeloos zijn geweest. De
meeste van die vrouwen hebben hun titels gekregen door de een
of andere arme achterlijke jonkheer of hertog te verschalken, en
om dat spelletje goed te spelen moet je heel wat listen en lagen
toepassen. Om hertogin te worden moet je vooral een voortreffelijk manipulator van mannen zijn. Ik ben er in mijn tijd heel
wat tegen het lijf gelopen en ze zijn allemaal hetzelfde. Markie-
zinnen en gravinnen zijn iets minder monsterlijk maar ze komen onmiddellijk na hertoginnen. Laat dat u er niet van weerhouden met ze te stoeien. Dat is een opwindende ervaring. Maar
blijf in godsnaam op uw hoede als u daarmee bezig bent. Je
weet maar nooit, het is nooit te voorspellen wanneer ze zich
tegen je keren en bijten in de hand die ze liefkoost. Kijk uit,
zeg ik, voor vrouwen met adellijke titels.

Om kort te gaan, deze hertogin en ik hadden ongeveer een
uur in de badkuip zitten bonken en nu ze er genoeg van had
gooide ze me de zeep in mijn gezicht en stapte uit het water. Het
grote glibberige projectiel trof me op mijn mond, maar omdat

geen van mijn tanden eruit was geslagen of zelfs maar los was gaan zitten negeerde ik het voorval. Ze had het eigenlijk alleen maar gedaan om me tot zwijgen te brengen en zichzelf een kans te geven weg te komen, en die kreeg ze.

'Kom er weer in,' zei ik, verlangend naar een tweede beurt.

'Ik moet er vandoor,' antwoordde ze. Ze hield afstand terwijl ze haar mooie lichaam met een van mijn reusachtige handdoeken afdroogde.

'Dit was alleen nog maar de eerste helft,' smeekte ik.

'De moeilijkheid met jou, Oswald, is dat je niet weet wanneer je moet ophouden,' zei ze. 'Binnenkort zal iemand nog eens zijn geduld met je verliezen.'

'Koude teef,' zei ik. Dat was dom om te zeggen en niet waar ook, maar toch zei ik het.

Ze ging naar de andere kamer om zich aan te kleden. Ik bleef stil in de badkuip zitten en voelde me gedwarsboomd. Ik hield er niet van dat anderen de toon aangaven.

'Tot ziens, schat,' zei ze toen ze de badkamer weer inkwam. Ze droeg een donkergroene, zijden japon met korte mouwen.

'Ga dan maar naar huis,' zei ik. 'Naar je belachelijke hertog.'

'Je moet niet zo bokken,' zei ze. Ze liep naar me toe en boog zich voorover en begon mijn rug onder water te masseren. Toen gleed haar hand naar andere delen en ze streelde en prikkelde me zachtjes. Ik bleef er stil van zitten genieten en vroeg me af of ze misschien weer helemaal door de knieën zou gaan.

U zult het niet willen geloven, maar de hele tijd dat die kleine feeks net deed of ze met me speelde, was ze eigenlijk bezig stiekem en met doortrapte sluwheid de stop uit de afvoer in de bodem van de badkuip te verwijderen. Wanneer de stop uit een bad dat tot de rand vol met water staat wordt getrokken, is, zoals u weet, de zuiging door de afvoer onnoemelijk sterk. En wanneer een man bovenop die afvoer zit, zoals ik op dat moment, dan is het onvermijdelijk dat de twee teerste en waardevolste voorwerpen die hij bezit heel plotseling in dat verschrikkelijke gat worden gezogen. Er klonk een dof *plop* toen mijn scrotum de volle kracht van die zuiging kreeg te verwerken en in de opening van het gat gezogen werd. Ik gaf een gil die aan de andere kant van Kensington Square nog te horen moet zijn geweest.

'Tot ziens, schat,' zei de hertogin terwijl ze de badkamer uit-stevende.

In de martelende momenten die volgden kwam ik erachter hoe het moet voelen als je in de handen van die bedoeïenen-vrouwen valt die er genoegen in scheppen reizigers met een bot mes van hun mannelijkheid te beroven. 'Help!' schreeuwde ik. 'Red me!' Ik was vastgepind. Ik zat aan de badkuip vastgeklon-ken. Ik zat gekneld in de scharen van een gigantische krab.

Het leken wel uren maar ik veronderstel dat ik eigenlijk niet meer dan tien of vijftien minuten in die positie zat. Het duurde me toch lang genoeg. Ik weet niet eens hoe ik er tenslotte in slaagde mezelf in één stuk te bevrijden. Maar de schade was aangericht. Krachtige zuiging is een vreselijk iets en die twee kostbare juwelen van me, die normaal niet groter waren dan een paar reine claudes, hadden plotseling de afmetingen van meloenen aangenomen. Ik geloof dat het Geoffrey Chaucer was die lang geleden, in de veertiende eeuw, schreef:

> *Een vrouw van adel*
> *Zal dat nooit verhelen*
> *En grijpt meteen*
> *Je edele delen.*

en die onsterfelijke woorden zijn nu, geloof me maar, in mijn hart geëtst. Ik heb drie dagen op krukken moeten lopen en Joost mag weten hoelang daarna liep ik nog rond als een man die een stekelvarken tussen zijn dijen koesterde.

Het was in deze kreupele toestand dat ik me op vijftien mei naar Cambridge begaf om mijn afspraak met Yasmin op 'Dun-roamin' na te komen. Toen ik uit de auto stapte en naar de voordeur strompelde, stonden mijn knikkers nog in brand en klopten als de trommel van de duivel. Yasmin zou natuurlijk willen weten wat er met me gebeurd was. Woresley trouwens ook. Zou ik ze de waarheid vertellen? Als ik dat deed zou Yas-min over de grond rollen van het lachen en ik kon Woresley al op zijn domme, gewichtige toon horen zeggen: 'Je richt je in het algemeen wat te veel op de vleselijke zaken, Cornelius. Nie-mand kan zich zo als jij misdragen zonder een hoge prijs te be-talen.'

Ik dacht niet dat ik daar op dat moment tegen zou kunnen en daarom besloot ik te zeggen dat ik een pees in mijn dij verrekt had. Dat was gebeurd toen ik een oud dametje wilde helpen toen ze op het trottoir voor mijn huis gestruikeld was en ongelukkig was terechtgekomen. Ik had haar naar binnen gedragen en verzorgd tot de ziekenwagen kwam, maar het was net iets te veel voor me geweest enzovoorts enzovoorts. Dat moest voldoende zijn.

Ik stond in het kleine portaal bij de voordeur van 'Dunroamin' en zocht naar mijn sleutel. Terwijl ik dat deed zag ik dat er een envelop op de deur was vastgeprikt. Iemand had hem stevig met een punaise vastgezet. Stom om zoiets te doen. Ik kon de punaise niet loskrijgen en daarom trok ik de envelop los. Er stond geen naam op en daarom maakte ik hem open. Stom om geen naam op de envelop te zetten. Was hij voor mij? Ja, dat was hij.

Beste Oswald,
Arthur en ik zijn vorige week getrouwd...
Arthur? Wie was in godsnaam Arthur?
We zijn ver weggegaan en we hopen dat je het niet heel erg vindt, maar we hebben het Semenhuis meegenomen, tenminste alles behalve Proust...
Jezus Christus! Arthur moet Woresley zijn! Arthur Woresley!
Ja, we hebben Proust voor je achtergelaten. Ik mocht die kleine sodemieter toch nooit graag. Alle vijftig rietjes van hem zitten veilig in de reiscontainer in de kelder en de .brief van Proust zit in het bureau. We hebben alle andere brieven veilig bij ons...
Ik wankelde. Ik kon niet verder lezen. Ik opende de deur en strompelde naar binnen en zocht naar een fles whisky. Ik schonk wat in een glas en goot het naar binnen.
Als je er even rustig over nadenkt, Oswald, zul je het er beslist mee eens zijn dat we je geen loer draaien en ik zal je zeggen waarom. Arthur zegt...
Het kon me geen lor schelen wat Arthur zei. Ze hadden het kostbare sperma gestolen. Het was miljoenen waard. Ik durfde

er een eed op te doen dat het die kleine fielt van een Woresley was die Yasmin ertoe had aangezet.

Arthur zegt dat hij het tenslotte was die het procédé heeft uitgevonden, nietwaar? En ik heb al het zware werk gedaan om het te verzamelen. Arthur doet je de hartelijke groeten.

Tot ziens,
Yasmin Woresley

Een echte rotklap, zoiets. Net onder de gordel. Ik lag op apegapen.

Als een razende stormde ik door het huis. Mijn maag kolkte en ik ben er zeker van dat er stoom uit mijn neusgaten spoot. Als er een hond in huis was geweest had ik die zeker doodgetrapt. In plaats daarvan trapte ik tegen de meubels. Ik gooide een heleboel mooie grote dingen kapot en daarna begon ik alle kleinere voorwerpen beet te pakken, waaronder een baccarat presse-papier en een Etruskische kom, en smeet ze door de ruiten terwijl ik moord en brand schreeuwde en de ruiten aan diggelen zag gaan.

Maar na ongeveer een uur begon ik te kalmeren en tenslotte zakte ik in een fauteuil in elkaar met in mijn hand een groot glas malt-whisky.

Zoals u misschien al vermoedde heb ik een groot incasseringsvermogen. Ik ontplof wanneer ik geprovoceerd word, maar ik ga nooit nakaarten. Ik vlak het uit. Er komt altijd weer een nieuwe dag. Bovendien is er niets dat mijn geest zo stimuleert als een kolossale ramp. Achteraf, in die periode van volkomen rust en absolute stilte die na de storm komt, wordt mijn geest uitzonderlijk actief. Terwijl ik mijn whisky zat te drinken op die verschrikkelijke avond midden tussen de resten van 'Dunroamin', was ik al bezig mijn toekomst helemaal opnieuw te overdenken en te plannen.

Dat is dan dat, zei ik tegen mezelf. Ik ben belazerd. Het is allemaal voorbij. Moet opnieuw beginnen. Ik heb nog altijd Proust en ik zal de komende jaren goed van die vijftig rietjes kunnen profiteren (en denk maar niet dat ik dat niet gedaan heb), maar daar word ik geen miljonair van. Wat volgt?

Het was op dat moment dat het grote en schitterende antwoord in mijn hoofd begon op te komen. Ik bleef heel stil zitten en liet het idee wortel schieten en groeien. Ik werd geïnspireerd. In zijn eenvoud was het prachtig. Het kon niet misgaan. Ik zou er miljoenen mee verdienen. Waarom was ik daar niet eerder op gekomen?

Ik heb u aan het begin van dit dagboek beloofd dat ik zou vertellen hoe ik een rijk man geworden ben. Ik heb tot nu toe een heleboel tijd genomen om te vertellen hoe het niet gelukt is. Daarom zal ik de verloren tijd nu goedmaken en u in niet meer dan een paar alinea's vertellen hoe ik tenslotte een echte multimiljonair ben geworden. Het grote idee dat zo plotseling bij me opkwam op 'Dunroamin', was als volgt: Ik zou onmiddellijk teruggaan naar de Soedan. Ik zou met een corrupte overheidsambtenaar onderhandelen over de pacht van dat kostbare stuk land waar de hashab-boom groeit en de cantharidekever gedijt. Ik zou de alleenrechten krijgen op de keverjacht. Ik zou de plaatselijke keverjagers bijeenroepen en ze tot een georganiseerde eenheid vormen. Ik zou ze royaal betalen, veel meer dan ze nu kregen door hun kevers op de vrije markt te verpatsen. Ze zouden exclusief voor mij werken. Stropers zouden zonder mededogen geëlimineerd worden. Ik zou in feite de produktie van Soedanese cantharidekevers monopoliseren. Als dat allemaal geregeld was en ik verzekerd was van regelmatige levering van kevers, zou ik een klein fabriekje in Khartoem bouwen en daar zou ik mijn kevers verwerken en professor Yousoupoffs beroemde potentiepillen in grote hoeveelheden fabriceren. Ik zou de pillen in de fabriek verpakken. Dan zou ik een kleine, geheime ondergrondse verkooporganisatie opbouwen met kantoren in Parijs, Londen, New York, Amsterdam en andere grote steden over de hele wereld. Ik zei in mezelf dat als een baardeloze zeventienjarige jongen in zijn eentje in staat was geweest in een jaar in Parijs honderdduizend pond te verdienen, ik er maar eens aan moest denken wat ik nu kon doen op wereldwijd niveau.

En dat, beste vrienden, is bijna precies wat er gebeurd is. Ik ging terug naar de Soedan. Daar ben ik iets langer dan twee jaar gebleven en ik wil u best vertellen dat, hoewel ik een heleboel over de cantharidekever leerde, ik ook het een en ander over de dames in die streek geleerd heb. De stammen zijn strikt gescheiden en ze gaan zelden met elkaar om. Maar ik ben behoorlijk met ze omgegaan, met de Nubiërs, de Hassariërs, de Beggaras, de Shilluks, de Sukrias en de merkwaardig lichtgekleurde Niam-Niams die ten westen van de Blauwe Nijl woonden. Vooral de Nubiërs vielen bij mij in de smaak.

Omstreeks eind 1923 draaide mijn fabriekje op volle toeren en produceerde ongeveer duizend pillen per dag.

In 1925 had ik agenten in acht steden. Ik had ze zorgvuldig uitgekozen. Het waren allemaal, zonder uitzondering, gepensioneerde generaals. In ieder land zijn er werkeloze generaals en die mannen, ontdekte ik, waren geknipt voor dit speciale soort werk. Ze waren efficiënt. Ze hadden geen scrupules. Ze waren moedig. Ze zagen neer op het menselijk leven. En ze beschikten niet over de nodige intelligentie om me te bedriegen zonder dat ik ze kon betrappen.

Het was een ongelooflijk lucratieve onderneming. De winsten waren astronomisch. Maar na een paar jaar begon het leiden van zo'n grote onderneming me te vervelen en deed ik het hele zaakje over aan een Grieks syndicaat in ruil voor de helft van de winst. De Grieken waren blij, ik was blij en honderdduizenden klanten zijn sindsdien blijgemaakt.

Ik ben schaamteloos trots op mijn bijdrage aan het geluk van de mensheid. Er zijn niet veel zakenlieden en zeker heel weinig miljonairs die met een zuiver geweten kunnen zeggen dat het vergaren van hun rijkdom zo'n hoge mate van extase en plezier aan hun klanten heeft gegeven. En het doet me bijzonder veel genoegen te ontdekken dat de gevaren voor de gezondheid van *cantharis vescatoria sudanii* altijd schromelijk zijn overdreven. Volgens mijn dossiers hebben niet meer dan vijftig à zestig man per jaar te lijden van ernstige of invalide makende gevolgen van het magische goedje. Eraan sterven doen maar heel weinigen.

Nog één ding. In 1935, ongeveer vijftien jaar later, ontbeet ik in mijn huis in Parijs en las de ochtendkrant, toen mijn oog op het volgende bericht in een van de roddelrubrieken viel:

'Onlangs is "La Maison d'Or" in Cap Ferrat, het grootste en meest luxueuze landgoed aan de hele Côte d'Azur, van eigenaar verwisseld. Het is gekocht door een Engels echtpaar, professor Arthur Woresley en zijn knappe vrouw Yasmin. De Woresleys zijn uit Buenos Aires, waar ze een aantal jaren gewoond hebben, naar Frankrijk gekomen en we heten ze hier van harte welkom. Ze zullen de reeds schitterende Rivièra nog meer glans geven. Naast de aankoop van het schitterende "La Maison d'Or", hebben ze zojuist een prachtig zeewaardig jacht aangeschaft dat iedere miljonair op de Middellandse Zee jaloers zal maken. Het heeft een bemanning van achttien koppen en is ingericht voor tien passagiers. De Woresleys hebben het jacht de SEMEN genoemd. Toen ik mevrouw Woresley vroeg waarom ze die nogal merkwaardige naam gekozen had, lachte ze en zei: "Oh, ik weet het niet. Misschien had het wel SEAMAN (Zeeman) moeten zijn en was de A ervandoor." '

Het is me d'r een, die Yasmin. Dat moet ik toegeven. Hoewel ik me niet kan voorstellen wat ze ooit zag in die oude Woresley met zijn gewichtige maniertjes en zijn berookte snor. Ze zeggen dat het moeilijk is een goede man te vinden. Misschien was Woresley er zo een. Maar wie wil er in godsnaam een goede man? Of, nu we het er toch over hebben, een goede vrouw?
Ik niet.